JUMP COMICS

DEATH NOTE
デスノート

同心

原作／大場つぐみ Tsugumi Ohba　漫画／小畑健 Takeshi Obata

DEATH NOTE
11
Near
ISBN4-08-873621-4
Misa Amane
9784088736211
Light Yagami
Ryuk
Mello
9784088736211
of the note.
gods of
), do not know
ossession of the

『このノートに名前を書かれた人間は死ぬ』……。死神リュークが人間界に落とした『デスノート』。それを手にし、理想の社会を築く為、犯罪者を粛正していく「キラ」こと夜神月。それを追う者「L」。熾烈を極める二人の頭脳戦が始まった…。だが、この戦いは月がLを葬った事により、決着を見たかに思えた。──四年後、月は「二代目L」と「キラ」の二役を演じながら自らの理想とする社会に近づいていた。そんな月に対し、アメリカではLの遺志を継ぐ二人、ニアとメロがキラ確保の為動き出していた。彼等はノートの存在を知り、それを手にする事がキラ確保への近道と考え、互いがノート争奪戦を開始。一度はノートを手にし、「13日ルール」の嘘を知るメロだが、捜査本部にノートを奪い返され姿を隠す。その時、月の父・総一郎が命を落としてしまう…。──その後、姿を隠していたメロがニアに接触し、互いの情報を交換。「13日ルール」の嘘を知ったニアは二代目Lを疑い始め、捜査本部に揺さぶりをかけてきた。様々な状況・情報により捜査本部、特に相沢は徐々に月を疑い始め、独断でニアと接触。相沢の話を聞いたニアは二代目Lが月であると確信を持つ! 一方、月はミサから足が付かないようノートの所有権を放棄させ、キラを崇拝する男・魅上にキラ役を移す。だが、監視の目が厳しく魅上に直接指示を出せないでいた。それを察した魅上は自ら裁きを始め、キラの指示を欲する。そして偶然にも魅上はキラの代弁者として大学時代、月の恋人でNHNのアナウンサー・高田を選ぶ。そこに目を付けた月は捜査と称し高田に近付き、高田を通じて魅上と繋がる事に成功した…。

page.89 同心（どうしん） 7

page.90 予告（よこく） 29

page.91 停止（ていし） 49

page.92 夜（よる） 69

page.93 決定（けってい） 88

page.94 外（そと） 109

page.95 納得（なっとく） 129

page.96 一方（いっぽう） 149

page.97 色々（いろいろ） 169

page.98 全員（ぜんいん） 189

DEATH NOTE 11

同心（どうしん）

今までのキラの裁いた悪人の統計を見ると
私は　キラがある程度の基準を提示する事が必要であり――
……この女　キラ…少なくとも
ノートを使っている者と繋がり
命の保証をされているとしか……
でなければ　引き続き
こんなに　キラへの意見を
ベラベラと喋れるはずがない…
page. 89 同心
ニア　こちらは
高田の側近になる様
動いているが　どんどん
ハードルが高く…
まだ　かなり時間が…
NHN
そうですか
そんなところだと
思っていました
……
……もう全ての部品は
揃っている
ここまでくれば
私も日本か…

page. 89 同心（どうしん）

レスター指揮官
一度 NYへ
戻ってきて
もらえますか
？
……
一度？
私も 日本へ
行きます
？
その間
私がNYに
待機という
事か？
いえ
？
では 何故
私がNYへ
？
私は一人で飛行機に乗る
手続き等をした事が ありません
一度 戻ってもらい 一緒に日本へ
……わかった……

京東スポーツ
弥海砂!!
NHN紅白で復帰
ミサミサ紅白は初出場
「ガンバリます!」
紅白司会は高田アナに決定!!
思った通り コシダプロもNHNも飛びついてきましたね
ああ 今のNHNに入り込むのは至難の技だが これなら怪しまれる事もない
やはり NHNに出入りできる者は欲しい ミサの言動は十分に注意してありますし マネージャーとして模木さんも入れる
まずは NHNの誰がキラからメールを受けとっているかです もちろん僕も高田アナから探りますが

……月くんと高田アナがホテルに居た時に
キラから電話があって以来
また いつ同じ事態になっても
すぐに隠滅できる様
二人が会う時は 監視カメラはなし
盗聴器を高田アナに気付かれぬ様
月くん自身に付けているだけでしかない
しかし
もし キラ信者にでも盗聴器等が見つかれば
月くんの命の保証もなくなるのも確か…
…………
ノートは本部に保管してあり
誰も使っていない…
もちろん 月くんも…
だが
監視カメラなしの見張りでは
筆談等は いくらでもでき
意味がないとも…
……
相沢
疑いたくば いくらでも疑え…
そのくらいが丁度いい
僕の敵は日本捜査本部じゃない…
ニア…
ミサの事もある…
さらに偶然であろうと
高田がキラの代弁者に選ばれた時点で
ニアは もうLを夜神月と
決めつけているだろう…
高田清美… そしてミサ…
必ず ニアの手の者が
NHNや高田に入り込もうと
してくる…
その者を見つけ 利用し
ニアを…

ピピー……
！
！ ニアだ 随分久し振りに……
あいつ 今更 何を
ニアです Lを…
…………
ニア Lです
L… お久し振りです…
まだ 通信が可能な事に 感謝します
…………
……ニア… 用件は何ですか？

私はキラを捕まえるべく今日本に居ます
!
……日本に……
何故わざわざ日本に入ったと言う必要がある……
今キラを追う捜査をするならNHN・高田清美から探っていくのが定石…
チョキ
……こいつ…僕の考えを読んだ上でそれに乗ってくると…

ですから私も日本に来てそういう捜査をする事にしました
ギョキ
ギョキ
……
その捜査ならもう 私が日本でしています
月くん…
!
もし協力できるならその方向で考えますがあなたは 私に疑惑を持っている様ですからそうもいかないでしょう…
……
!
今「私が」と言いましたね？
はい

私 自ら
高田アナウンサーに接触し
探りを入れています
……そこまで言って
しまっていいのか？
…それじゃ
月くんがLって
事が…
…ニアが これから
調べに入ると言っている
高田アナに自分・Lが
接触しているなんて
キラなら言える訳がない
と思うが…
……!
……こいつ それを私に
L本部で言う事で
……周りの者の信用を……？
そして
こちらの捜査は
模木捜査員が
NHNに
出入りできる所まで
進んでいます
……なるほど
おまえが先に そこまで言ってしまえば
弥や高田と おまえの接触を掴んでも
何の意味もなくなる…
捜査だと言い張ればいい…
ヂョキ
ヂョキ

L＝夜神月＝キラ
こちらが そう考えているのは
もう承知の上という事が…
上等だ…
L…夜神月 いや キラ…
わかるか ニア…
「夜神月がキラ」 おまえがいくら
そうほざいた所で何の証拠もない
まただ ただの
言い合いになるだけ…
……
……
……
……
……
……
L…
ヂョキン
こちらも NHNに
入り込む事は必ずします
……
が ひとつだけ
あなたは先ほど
高田アナウンサーと
接触し 捜査していると
言った
!?
はい

ならば 高田アナに
"NYでキラ信者から逃げたSPKメンバーが キラ逮捕の為に日本に入った"という情報を何らかの形で伝えてください
それは現在のキラ社会 高田アナの立場を考えれば報道しないわけにはいかない情報です
……今度は何を？……
そして そのメンバーは指揮を執るニアを入れて たった四人だと そこまで言わせて構いません
！
……
……
私以外の三人は Mr.相沢・模木がSPKで会った三人です
嘘ではありません 真実の報道になります
会った……
相沢・模木が顔を見ている？……

Mr.相沢・模木が もし NHN付近等で 彼等を見たら それがそうだと どうぞLにも 教えてあげて ください
互いの捜査の 邪魔はしない様に したいですから
……
……ニアは 月くんをキラと考えているのでは なかったのか? 彼等を見つけ教えたら 殺されると考えるのが 普通…いや… この二人 協力するとか 邪魔しないとか… 一体 何を言い合っているんだ?…… 二人 頭の中では会話が成り立っている というのか?……
しかし 彼等の顔を SPKメンバーとして テレビ等で 報道するのだけは なしです
キラを 誘き寄せる為の 報道ですから
私を含め たった四人です キラが逃げるはずもない 必ず 我々を殺すべく動く
そこを返り討ちに してみせます
!
……
返り討ちだと…

……ニア
僕が探る為に
そっちの捜査員を
わざと教え
かかってこいと…
僕と全く同じ事を…
ニアの方は
SPKのメンバー
こっちは
高田・模木・ミサ…
互いがそれを使い
互いを誘き寄せようと
している…
そしてそうしようと
している事も
互いにわかっている…

ニア…いいだろう その挑戦受けてやる
互いの囮がわかった上でどちらが欺き上をいくか
…………
Lキラ…いや 夜神月…
これだけ言えば伝わっただろう
……
……
……
……?

ニア…
日本に居る
メンバーは四人…
それでいいんですね
はい
一時は私に従う者を
集めたりもしましたが
こうなってしまった現在
人数は必要ありません
私は
日本に居ます
……
……
私も
日本に居ます
？…何で
二人で同じ事
を…
ならば
近いうちに…

顔を合わせるかもしれませんね
そうですね
その時はよろしくお願いします
はい
その時キラとの決着を必ず
決着…
そうですね

もう 世界は キラと 今 存在しているノートを 始末する事でしか 元に戻れないでしょう
キラとノートを この世から消せば 我々の勝ち 私達が死ねば キラの勝ちです
……ニア達が死ねば 僕の勝ち… ノートを取られれば ニアの勝ち…
この戦いは もはや… いや 最初から 逮捕などは決着とは関係なく 世の中の法という ものさしでは計れない…
一対一の…どちらが上かを 証明するだけの戦いだったんです
……
……ニアの言う通り…か…

唯一の人間
リンド・L・テイラー
通称「L」です
さあ早く！
殺してみろ
どうしたできないのか
考えてみればあの時から
キラ対Lだよ
キラって本当にいたのか！？
えっ！？「L」って？「キラ」は知ってるけど
殺しの中継だってよ！
こわ～い
これはLと一対一の戦い…
そしてLがLの息のかかった者に成り代わっただけ…

いいだろう ニア
おまえが出てくるのなら
僕も出ていこう
おまえが
それを望むなら
僕も望むところだ
そして 相対した時
どちらが それにより備え
どちらが より上をいくか…
その時 この戦いが終わり
僕が頂点として立つ始まりとなる！

DEATH NOTE

How to use it

LX

◦ After a god of death has brought the DEATH NOTE to the human world and given its ownership to a human, the god of death may have the right to kill the human using his/her own DEATH NOTE for reasons such as disliking the owner.

死神が人間界にデスノートを持ち込み人間に所有権を与えたものの、
その人間が気に入らない等の理由から、
その人間を自分のノートで殺す事は一向に構わない。

page. 90 予告

いいだろう ニア
おまえが出てくるのなら
僕も出ていこう
そして 相対した時
どちらが それに より備え
どちらが より上をいくか…
その時 この戦いが終わり
僕が頂点として立つ始まりとなる!!

何なんすか ニアは? 結局 会って協力しようって事すか? これ…
いや 協力というより 同じ捜査をしていく以上 お互い顔を合わせる事もある その時は 邪魔にならぬ様 よろしく…って事だろう
……
ニアは 今のLをキラだと思っている事は間違いないはず 普通なら 顔を合わせるのは避ける…
それでも「会い キラ事件の決着を」と言っていた… Lをキラと考えるなら その時キラとして捕まえるという言い方…
……
もし…本当に月くんがキラなら それを受けて立ったという事に…
……
いや 私の考え過ぎで 伊出の言ってる様な意味だけで あってほしいが…
どうも ニアは まだ勘違いをしてる様です
……
あまり気にせず 自分達の捜査を しっかり 進めていきましょう
そうっすね－

レスター指揮官 ジェバンニ・リドナーは 今 何処に
ガチャ
今なら NHNの 近くに取った部屋に 二人共——
では 繋いで ください
よく聞いてください 近い将来 L… つまり キラに直接会い 決着をつける事に しました
!
直接!?… 決着?…
……対面し キラを捕らえる という事ですか?
……はい…… 既に 世界はキラの手に落ちたと 言っていい所まで きています
が

ここまで キラ世界が完成しつつある中で 残る邪魔者は 私…SPKメンバー…メロ…日本捜査本部 ……… その中で キラが一番邪魔と考えているのは 現状 最も顔と名前を入手しにくい 私です
メロは名前が割れている様ですし 日本警察庁長官・次長殺しの 容疑者ともされ
知っての通り 感情で動く… キラは キラ信者を使えば 殺り易いと考える かもしれませんし…
私を殺せれば その時に 他のSPKメンバーも おそらく… 自分の周りにいる 日本捜査本部の者は至極簡単…
最も邪魔でありながら 動かなかった私が動くとなれば 必ず その期を逃がさず 殺すべく キラも動く いや 顔を合わせると言ったのは それに乗ってきた証です
売った喧嘩です もう やるしかありません
………

今の状況を整理しておきましょう
Lは夜神月…そしてキラ 少なくとも Lが夜神月である事は L自ら 高田と接触していると 言った事からも L本人に尋ねても「YES」と 答えてくる決定事項でしょう
しかし 当たり前ですが キラであるという事は 絶対に認めない ここまで 推測が立つ事は 多々ありましたが 決定的な証拠も ありません
が
キラだという事は ほぼ間違いない 99・9999%… 100にならないのは証拠がないから ただ それだけです
そのキラ… 仮にLキラとしましょう その周りに ノートの存在を知る 相沢・模木等 数人でしょう…
しかし…Lキラは 現在 自分ではノートを 使っていない
周りの者に 自分もノートも見張られて いるからです
そこで もう一人 ノートを所有し 実際に使っている Xキラ
Lキラは 過去に弥を使っていた可能性や メロのアジト突入時の事から 死神の目は持ってないと思いますが Xキラは 裁きから見て 確実に目を持っています

当然 Lキラと Xキラは
どこかで繋がっていると
考えられますが Lキラが
見張られている事から 直接
会っている事は考え難い
いや 不可能と言ってもいい
X-KIRA
KIRA
ならば 高田を介し
意思の疎通を図っていると
考えるのが妥当です
NHN
高田
キラのメッセージは
NHNで報道され
Lキラは直接 高田に
会っている事からです
KIRA
ただし 今は
Lキラ Xキラ どちらも
高田にメッセージを出せますので
全てを鵜呑みには できません
そして いくら キラの操り人形
でしかないとはいえ
高田が Xキラが誰なのか探る
重要人物という事には
変わりはないでしょう
高田
こんな説明
いちいちしなくとも
わかっているとは
思いますが
これが現状です
高田
X-KIRA
KIRA
……!
で キラに
勝つ方法ですが
大まかに ふたつ
あると思います
まず
ひとつめは

Lキラ
パコッ
Xキラを
殺してしまい
パコッ
ノートを没収する
これで キラの裁きと言われてるものが止まればいい訳です
うむ それでL 夜神月がキラだったと言えるだろう
ほぼ100% Lがキラなのですから私も これで解決すると考えます
うむ
が
このやり方は絶対に やりません
!?

何故だ?
まず 裁きが止まったとしても
厳密には やはり それは
夜神月がキラだという証拠には なっていない…
日本捜査本部にある方のノートは
誰も使ってないはずですから
Xキラを殺した事で止まったという見方もできる
次に
Xの他にYやZが存在し
裁きが止まらない可能性も
0ではない
そして そもそも
一番 肝心なのは!……
人を
殺しておいて
裁きが止まった
から
「ほら そうだった」
そんな事後承諾的なやり方は
許されません
私達のやり方では ありません
私達?
そうです
私達…
私や…

Lのやり方ではない
Lが浮かばれません
Lが次の者に託した意味がない
……
ですから
Lキラ・Xキラを殺すとしても…
その時は
目の前に100%の確たる証拠を突きつけ負けを認めさせその惨めさを存分に味わわせてからです
その前に殺すなんてとんでもありません
よって100%の証拠を挙げる手段を取る
……どんな手段だ？…
KIRA

殺人ノートに
名前を書かせた上で
そこを押さえます
KIRA
!
………それでは 書かれた者が
死ぬ……が
何か策があるのか？
いえ
それは まだですが
もはや この手段しか
ないでしょう
必ず考えます
対峙した場合
真っ先に書かれるのは
私ですし…
さて
どうしたものか
…………

……
しかし 先程言った こちらが先にキラを殺しノートを取って裁きが なくなればよしとする
これは 我々がそうしてくるかもしれないとキラも必ず考える事です
そこを利用し何か できないか……
殺られる前に殺りに来る事を……
……
…まあ まずは今 キラとしての裁きをしてる者を探し出す事です
それにはやはりNHN 高田清美その辺りから探っていく事…それもキラは読んでいるとわかった上でです
うむ…

日本警察はNYから逃げたSPKのメンバー四人が日本に入ったと本日午後3時に発表
警察は この者達の捜索に全力をあげると共に国民にも協力を――
……完全にキラを追う者は犯罪者になってしまったな
そうっすね……
……僕達がヒーローになる時がいつかは来ると信じてやってきたんすけどね～
月くん そろそろ
はい
…松田 あえて おまえに聞くが 月くんは 捜査の為に ああして毎日の様に高田アナに会いに行ってるんだよな？
…まあ… デートも半分ってとこ… いや 僕だったら半分以上デートになっちゃいそうですけど月くんに限っては捜査が10割でしょう…

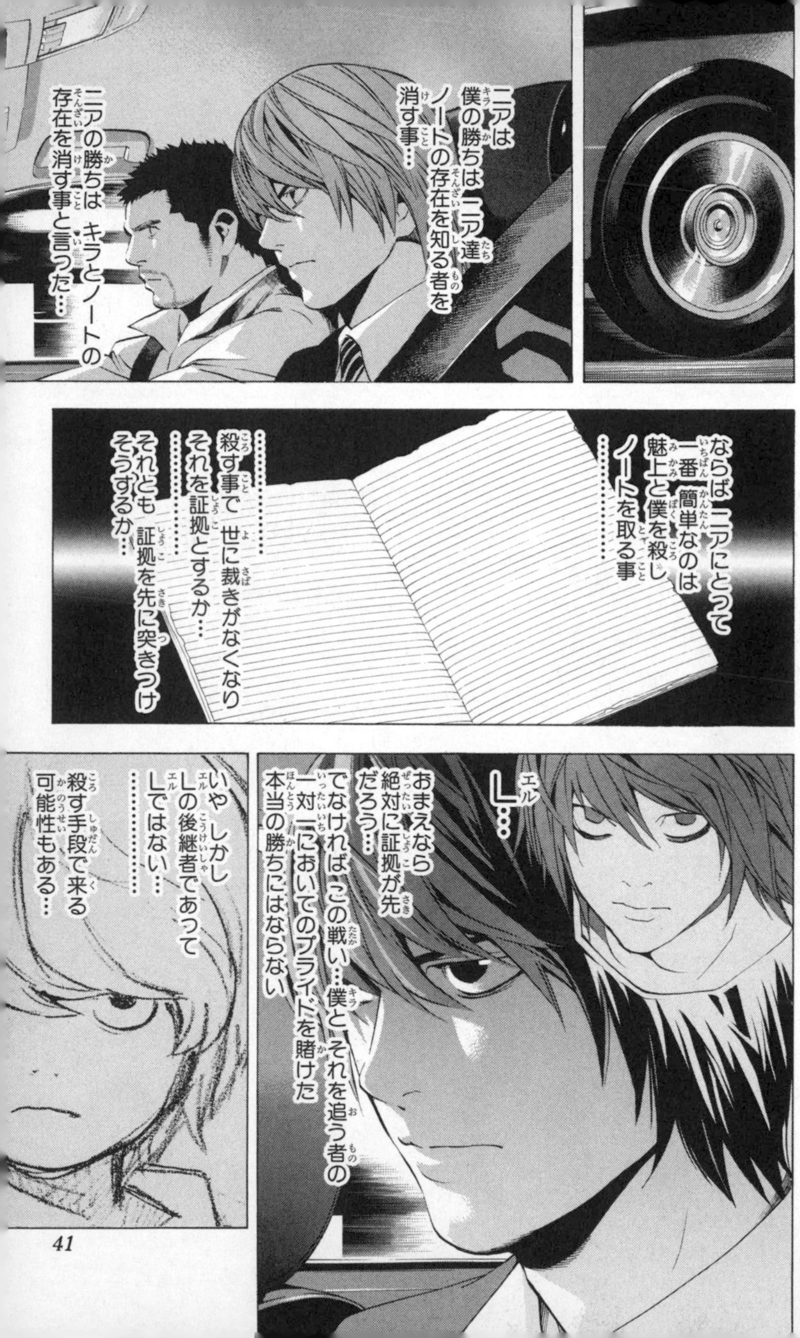

ニアは
僕の勝ちは ニア達
ノートの存在を知る者を
消す事…
ニアの勝ちは キラとノートの
存在を消す事と言った…
ならば ニアにとって
一番 簡単なのは
魅上と僕を殺し
ノートを取る事
……
……
殺す事で 世に裁きがなくなり
それを証拠とするか…
……
それとも 証拠を先に突きつけ
そうするか…
L…
おまえなら
絶対に証拠が先
だろう…
でなければ この戦い… 僕と それを追う者の
一対一においてのプライドを賭けた
本当の勝ちにはならない
いや しかし
Lの後継者であって
Lではない…
…………
殺す手段で来る
可能性もある…

しかし ニアが
もし 証拠を挙げる手段で
来るとしたら…
……
……
証拠は ノートに名前を
書くところを押さえるか
自白しか ありえない
僕も魅上も
自白は
絶対ない
……しかし いつかはニアの名前を
ノートに書き 殺す…
これは 絶対に行う事だ
……ニア側からすれば
そこを押さえる事が
証拠となるところ
……
どちらにしろ
まずは高田…
そして おそらく…
こっちも相応のリスクを
負わねばならないか…
今 自分にできる事は
それに備え
先に準備しておく事…

高田さん 毎日すごい量のFLが来るって事までニュースになってたね
あら そんな事まで… そうね 平均して日に2000通くらいとか… 聞いたわ…
2000通… なんか妬けるな
やだ…夜神くんらしくない 今の私は それに目を通す時間なんてなくて デスクの横に山積みのまま…
FLといえど視聴者の意見も多いはずだ 多少は目を通すべきだと思うよ
そうね… できる限りそうする
サッ
スッ…
これから清美に近づいて来る者は全てSPKのメンバーとして疑う事。しかし疑っている事を相手に悟られず相手のいい様に泳がせる事。
しかし 考えてみればデートの振りして捜査ってのも難しいだろうな…
でも… 音だけで絵がないってのは寂しいっすね～

また T に電話し
次のメッセージを。
その際
くれぐれも T が誰なのかは
探らない事。
それが清美でも T は
それを一番嫌う。
FLだけならいいんだけど上司を通して色々な人からの誘いも多くて…
キラの代弁者である君を誘うとは勇気のある人達だ…
いや…それだけに十分注意した方がいい
これは妬いてる訳じゃなく
その中にSPKのメンバーがいる可能性も
……………
清美と T の間だけにそれがそうだと
わかる形で清美にファンレターを出す。
中身は白紙のノート5枚
清美がそれを受け取るまでは今まで通りの
裁きをし、清美が受け取ったと連絡を
入れた時から本物は使わず極限まで
似せた偽物を作り
その偽物で裁きをする行動を続ける。
今まで通り裁く人間は写真入りでNHNに
報道させる。
…？…
……………
そうね SPKには気をつけないと…
清美ここからのメモは
気を落ち着け動揺が
この会話を聞いてる者に
伝わらぬ様
読んでくれ。
？
SPKが動き始めた今君の安全の為にもキラがメールしてきているのがNHNの誰なのか知った方がいいと思うんだ
おっ 月くん 切り出した

Tが送ってくる紙に
人の名前を書くと
書かれた者は
死ぬ。
それがキラの力だ。
!?
……紙に名前を書いた者は死ぬ……
？……
それがキラの力…
NHNで裁く者として
報道される者の名前を
その紙に君に書いて欲しい
完全なキラ世界を創る為
Tには別の仕事ができ
君にしてもらわな
ければならない
んだ。
!!
ガタ
ヨロ
バッ
大丈夫だよ
何も心配ない

たぶん 僕なら そのメールから 直接 キラに返信する手段を 見つけられると思う
………………
それができれば テレビでは言い難い たとえば SPKに聞かれたくない 情報を キラだけに伝える事も できると思うんだ
わ…わかったわ やるわ… ………
やった
流石 月くん 上手いっすね
で…高田さん 今日は いつまで ホテルに…
おっ 捜査の方が上手く 行きそうな所まで きといて 間髪を入れずに これは… 流石…
すまない 今日は早く帰り Iに今のメッセージを
夜神くん ごめん… 今日は長くは…
そうか 残念だが 仕方ない
………
あっ くそっ ……

ピピピ
ガリ ガリ
削除
削除
ピピピ
！
高田清美
はい
メッセージを読み上げます
私と あなたの間でそれとわかる様にした私宛のFLを…中身は白紙のノート5枚
確かに全て承った
ピッ
…神…
…何を…
……いや 考える必要はない…
神は絶対…
私は 神の召すままに…
ガリ
ガリ

DEATH NOTE

HOW to USE IT

LXI

◎ Even if a new victim s name, cause of death, or situation of death is written on top of the originally written name, cause of death or situation of death, there will be no effect on the original victim s death. The same thing will also apply to erasing what was written with a pencil, or whitening out what was written with a pen, in an attempt to rewrite it.

名前や死の状況が書き込まれた上に重ねて名前等を書き込んでも、
上に書かれた方は無効であり、
既に書き込まれてあった方の死・死因・死の状況には何の影響も及ばない。
鉛筆で書いた物を消したり、修正液等で消した上から書き直しても同様である。

page. 91 停止

今日の高田様
……なんだ この番組は？
流石に「キラ王国」の継続は難しくなった さくらTVの後番っすよ
キラが駄目なら 代弁者か… 相変わらず節操が ないな
まあ あまりタッキィの プライベートには 触れられないし 面白くはないんす けどねー
今日の高田様は 厳重な審査を通った 20名の最終候補者から 4名の女性護衛を 選ばれました
その栄えある 四人の女性は

第22回世界空手道大会 女子60kg級優勝 大山立美
元CIA捜査官 ハル=リドナー
元CIA捜査官 ハル=リドナー
ハル=リドナー……SPKのメンバーが高田アナの護衛に
四人共全ての試験をクリアし──
…………
ニアはSPKのメンバーを見たらLに教えて構わないと言っていたが
今すぐ教える必要も…
やっぱ女子トイレの前にごつい男がズラッと並ぶのはまずいっすもんねー
この中にSPKメンバーがいるならハル=リドナー

ニアも隠す気はない
いや 僕に そうだと わかる様に してきている
当然 こいつが操られる場合を考え 今のニアの居場所は こいつには教えていないだろう
それより キラ崇拝者として 高田の護衛になった こいつを殺せば ニアだけでなく 相沢達も 僕がキラと確信する事になる
ニアは それをわかっていて こいつで高田から存分に探ろうと いう腹だ…
しかし 高田には 新しく近づいてくる者は全て SPKくらいに思えと言ってあるし
こいつが高田に強引に何かしようと しても 他の護衛がいる 少しでも疑惑めいた行動を取れば それを報道させ キラが裁くのは問題ない
まあ こっちの者がSPKの捜査を 邪魔するのもおかしいし 放っておいても すぐに どうこうは ない
ニアが何か言ってきたら それなりに こいつを意識している様 振る舞っておけばいい
こっちは こっちの やっておくべき事を ……

ニアの言った通りになったな
高田は今までいなかった女性の護衛を必ず必要とする ならば かえって元CIAという事を使えば 採用される… キラには感付かれやすいだろうが……
はい… リドナーが自分の保身よりも捜査を優先してくれた事に感謝します
ところで レスター指揮官 これの答えは出ましたか

……もし 自分がキラだったら 誰を出目川の後の キラの代弁者に選ぶかか
株式を取得
はい
悪いが 私は ニアの様に同時に幾つもの 映像と音声を観る事は できない 五日やそこらでは とても… もう少し時間を…
政府の方針は今年
そうですか ジェバンニも同じ事を 言ってました
……!
まあ あなた達の意見を 聞いた所で 参考程度ですので
昨年に比べ30%
難しく考えず 割と適当で いいです
………わかった…
WORLDNEWS

だから なんで
ミサがトリじゃないのよ
今年の紅白の目玉はミサだって
言ってたじゃん
カッ
カッ
いや
目玉は目玉で…
しかし トリとなると
大御所というのが…
!
カッ
カッ
高田清美
馬鹿よね
ライトに捜査の為に
利用されてるだけとも知ら
わっ

駄目です そんな事言って 誰かに聞かれでもしたら 必ず殺され…
わかってるわよ だから 小さな声で 言ってんじゃん
フッ!
あっ… あっ… 鼻で笑った
……
カツ
カツ

ミサ やっぱり蹴り入れてくる！
わっ駄目
！

何をする気ですか?
な…何をって…
お姉さんこそ…
イタタ…
……
リドナー その人は 私の大切な友人です 挨拶に来てくれただけです 手荒な事は しないでください
はい 高田様 失礼しました
カツ
カツ
な 何か すっごい 悔しぃーーっ!!
キィーッ
いや だから 静かに…
ばた
じた
もしかして 紅白 シメるのも あいつ…?

ニア やはり私には 出目川の様な極端な者で なければ キラの代弁者は 誰でも同じくらいにしか……
私も決めがたいですが 少なくとも 新人アナの部類の 高田アナウンサーは 選ばない
そうですよね… ただ 雑誌の 特集のアンケートでは 2位と人気はある様ですが…… 1位は同じNHNの 紗藤美哺です
女子アナランキ
高田清美
紗藤美哺
それに もっと 経験や威厳のある 男性アナウンサーという 選択肢もあったはず…
では 何故 高田が選ばれたのか
単に キラの好みが 高田だったというのも ありですが…
……
私の 考えでは ——

高田は
キラの崇拝者であり
それを知っていたから
です
出目川が選ばれたのは
まだ世界がキラ寄りに
なる前から 熱狂的に
局を利用してまで
キラを支援する姿勢を
見せていたから…
確かに脅せば
代弁させるのは簡単ですが
キラにとって その者が
キラの賛同者であるに
越した事はない
いや
高田に関しては
明らかに
キラ崇拝者だから
選ばれたに
違いないんです
昨晩のニュースの
高田の発言です
ピピ

義務教育の段階で キラの存在 キラの考えを 正しいものとして しっかりと 子供達に教えていく事が大切だと 私は考え――
自分の意見も述べると 言い出してからの高田は 馬鹿まる出しの キラ崇拝ぶりです
……しかし 馬鹿ばかりの世間には この高田の言葉が 効いているのも確か… キラにしてみれば これでいいんです
……ならば 夜神月がキラと考えて やはり 学生時代 親密であり 高田がキラ派と知っていて 選んだという事では?
いえ 高田がTVで キラ寄りの発言を し始めたのは あの夜の密会の 次の日からです
?…… ……あのホテルのか
L・夜神月は 高田と直接会い 捜査していると 言っています
高田の密会の相手が 夜神月だという事は Mr.相沢達に聞けば 裏も取れる まず間違いのない 事です
KIRA

よって Lキラ・夜神月が高田を選んだのなら 高田が代弁者としてマイクの前に立った その時から 高田に発言させる事は できた…
しかし 実際に 高田が それを始めたのは密会の次の日 その発言も キラに呼びかける形で あった事から この時点でXキラと コンタクトが取れていなかったLキラが 言わせたとしか私には思えない
高田
L月 KIRA
コト‥
Lキラは Xキラにも 密会前までは高田にも コンタクトを取っていなかった… それは 再びMr.相沢達に疑いをもたれ 見張られていたからだと考えます
コト‥
ならば 高田を代弁者として 選んだのはXキラの独断
…しかし 相沢達に見張られる以前に Xキラに 出目川を殺し 次の代弁者に高田を使えと 言っておいたという事は 考えられないか?
全くないとは言いませんが 出目川が死んでから 高田が代弁者として選ばれるまで 一週間ありました 「出目川が死んだら高田を使え」 という指示をしていたとしても 「一週間空けろ」というのは 意味がなく不自然です

一週間の空白は Lキラとコンタクトを取れなかったXキラが 出目川の暴走を止める為に独断で殺し 誰を次の代弁者にするか 考えた時間とする方が しっくりきます
うむ
ならば Xキラは 高田がキラ崇拝者だと 知っていた 高田のかなり 身近にいた者 親密な関係に あった者という 線で捜査だな
はい
今 高田の身辺を 洗うのは 危険を伴うと 思いますが また ジェバンニと 聞き込んでもらえますか
わかった
はい
私は まず 高田が出た番組を 現在から遡り 全てチェックする事から 入ります

国首脳
いちじる
問題につ
総理の責
財政の赤
に政府の
speak th
renaing y
officials s
shortly a
殺人事件
察庁はビ
WORLD FLASH NEWS
ニュース
検事　魅上照
！
こいつ…
討論　日本再建を考える

ガチャ
ガチャ
The KIRA kingdo
やはり…
キラ王国に出ていたキラ思想にどっぷり漬かった典型として印象に残っていた男と同一人物…
ピ

私が検事という職についたのは幼少の頃から目の当たりにしてきた暴力や中傷等に 理不尽さと憤りを感じてきたからです
21世紀討論 日本再建を考える
これから社会に出る若者達は自分の目標を持ち持てる力を余す事なく生かし社会貢献していくという姿勢こそが――
今まで高田が出演した全ての番組の中で魅上は2回確認できた
2回…
親しくなるきっかけは十分にあったといえる
それに この物言い…キラの「能力ある人間がそれを社会貢献に活かさず生きる事を許さない」と酷似している
ピ
何よりもキラ王国の方での…
是非 またキラの声を…考えを聞きたいと思っていますそして その思想・目指すものに従いたい
キラの教え・指示通りにしていく事が世界平和への一番の近道と私は考えていますキラ どうか声を

もし キラの指示・言葉が
なければ——
これがキラの考えではないかと
自分で考え 判断し
行動していく事が必要と
考えています
魅上照
……
この発言の四日前に 出目川は死に
この発言の四日後に 高田が次の代弁者として
キラに選ばれた……
それは 私がLに「13日のルールが嘘」と突きつけ
模木はメロにより 相沢は自ら
私の所へ来た後の出来事…
当然 L…Lキラは
L・夜神月と弥海砂が
再度疑われ監視されると考える
もし それまで目を弥に持たせ 裁かせていたのなら
夜神は焦り 監視前にノートを弥から
キラ王国に映っていた中から 使えそうな
キラ信者・魅上を選び 渡した
……

相沢達が戻り 見張られた事で
Lキラは 魅上とは
コンタクトは取れなくなる
よって 出目川の暴走を止める為に
殺したのは魅上の独断
……魅上は それでもキラから指示がないので
キラ王国を使って 断りを入れた上で
その四日後に キラ寄りと知っていた
アナウンサー高田清美を
代弁者として 独自に選んだ…
……高田が選ばれたのは
Lキラからすれば偶然であり
結果的にはXキラ・魅上の手柄
Lキラ・夜神は 大学時から
親しかった高田だからこそ
密会へ持ち込め 高田を通し
Xキラとのコンタクトを図った…
……
……一応 全ての筋は通る…
Lキラ…夜神月…
Xキラ…魅上照…
ピピピ
交友関係を洗うのは
もういいです
戻ってください
今 一人の者が
浮かび上がりました
それが外れだった時
また お願いします
えっ もう
Xキラの
容疑者が
？…
はい
私 観るのは
得意なんです

DEATH NOTE

HOW to USE IT

LXII

- Once the victim s name, cause of death and situation of death have been written down in the DEATH NOTE, this death will still take place even if that DEATH NOTE or th[redacted]part of the Note in which it has been written is destroyed, for example, burned into ashes, before the stated time of death.

  一度[redacted]名前・死因・死の状況が書き込まれれば、
  万が[redacted]、その設定した死の時間の前にノ ートや書き込んだその部分が
  燃える等しても書き込まれた内容に影響はない。

- If the victim s name has been written and then the DEATH NOTE is destroyed in the middle of writing the cause of death, the victim will be killed by heart attack in 40 seconds after writing the name.

  名を記し死因を書いている途中で燃える等した場合は
  名を記してから40秒で心臓麻痺となる。

- If the victim s name and cause of death have been written and the DEATH NOTE is destroyed, like burned, in the middle of writing the situation of death, then the victim will be killed within 6 minutes and 40 seconds via the stated cause of death if the cause is possible within that period of time, but otherwise, the victim will die by heart attack.

  名前[redacted]死因を書き、死の状況を書いている途中で燃える等した場合は
  6分40秒以内で可能な死因ならば死因は有効、
  不可能であれば心臓麻痺となる。

page. 92 夜（よる）

スクープ！
人気急上昇
側近No.1激
ハル=リドナーの表
タッキィの人気は相変わらずですけど今や一番の側近になったハル=リドナーも大人気っすよ
……まあ そうなってから一週間経つし 美人だ……わからん事もないが
しかし それではそのリドナーがSPKだと言わんばかり…キラに疑われそうで危険ですね
カチャ
カチャ
カチャ
えっ 彼女がSPK?
…やはり リドナーがSPKメンバーだという事は私が言うまでもなく 月くんは見抜いていたか…
月くんがキラならこんな発言はしないはず…
……いや 今の発言で リドナーが死んでもあくまでキラが殺したと言える事に…

くそっ… 駄目だ
どうした 月くん
キラのメッセージは NHN局長にメールで届く という所までは 高田アナから聞き出したが
どうやっても 発信元が 割り出せない ……
流石の 月くんでも 駄目か〜…
まあ 相手は 今まで逃げ延びている キラだ そう簡単には…
しかし そこから 割り出せないとなると 他の手段を考え なければな…
いえ 他の手も 考えてはいます
一度ではあるが キラは高田アナに 直接 電話してきている 彼女とキラが直接 交信する様に なれれば そこから…
そう仕向ける為 彼女に キラが直接 返事をしたくなる様な 事を 毎回 少しずつ 言ってもらってるんです
なるほど
また 明日の夜も 彼女に会い その話をします
……

リドナーの連絡では Mr.模木は弥のマネージャーとして動いている つまり Lの捜査本部から離れている事が多い
そうですね
Lと高田が会う時 しっかりとした監視が成されているか リドナーに 模木から聞き出させれば Lに伝わらずに済むと思うが
しかし Mr.模木は喋らないでしょうね…
それに 十中八九 LキラとXキラは 高田を通し 連絡を取れている これは向こうも こっちがわかってると思ってる事です こそこそ聞く事でもありません
ピピ

!
ニア
L
Mr.相沢がもし
そこに居たとして
私とMr.相沢が直接
これで会話するのは
アリですか?
……
……!
ニア
相沢だ
なんだ?
Lと高田アナが会う時は
カメラや盗聴器を付け
その一部始終を
記録してますか?
……
いや
今は盗聴器
だけだ…
わかりました
「今は盗聴器だけ」
ですね
ありがとうございます
プチ

……やはり これは ニアは あくまでも 月くんをキラと 考えてるって 事だな…
ったく……
……
僕をキラと考えるニアなら 高田を通し 裁いている者へ 僕が指示していると考えるのが当然…
リドナーを上手く高田の側近にし そこからと動いている様だが 高田は絶対に何も喋らない
盗聴器だけならば Lキラと Xキラは 高田を通し 連絡を取れていると考えていい… こうなると リドナーが益々危険だ
高田の護衛の携帯通信記録は 全てチェックされている こちらからは リドナーに直接 連絡取れないが 大丈夫か?
……危険を承知の上で リドナーは動いてくれて いるんです それより…
今は リドナーが高田からXキラを 掴もうとしている まだ こちらがXキラの目星が 付いてないと見せ
L側の注意を リドナーや高田に 向けさせておく間に 魅上を洗う事です
高田

ピピピ
どうだ ジェバンニ
魅上ですが
尾行は 何か 不気味なくらい簡単に…………… 身を隠すでもなく 4年前から同じ部屋に…… そして 普通に生活しています
裁判所
検事の仕事も 意欲的に こなしています…
キラ王国の姿から キラ崇拝者である事は わかりますが 私には どうも Xキラとは…
……… うむ そうか ……… ………
………
いえ 魅上が Xキラの可能性は 高い
十分に注意し まだ部屋に入る等 まではせず 見張ってください
X-KIRA
はい

はーっ 全く
何回打ち合わせすんのよ
NHNって…
……
それに
「言動は十分
注意してください」って
私だけ何回も
…何なのよ
ピピピ
はい
はい…
いえ…
とんでもない
……
しかし…
はい では
本人に聞いて…
ミサミサ
高田アナが女同士で一緒に
食事しないかと言ってる
そうだ…
えっ
……清美め…
何よ…
高田は 一体 何を考えて…
捜査という面から考えれば
願ってもない事だが
弥だけで会わせていいものか?
……
いや 危険かもしれないが
高田の誘いを断る訳にもいかない…

いいじゃん
紅白の司会者と
紅白のメイン
一度は食事くらい
しとかないとね
OKして
……高田様
是非との事です
まあ
楽しみだこと
リドナー
どこか失礼のない個室を…
それと あなたも
同席してください
!
……自分もですか？
当たり前じゃない
今日会うのは弥さんよ…
居てください
……はい
弥海砂…
ニアが 第二のキラだった可能性が
高いとしていた夜神月の婚約者とも
言われている人物…
そして 高田清美…
キラとコンタクトを取っているとされ
夜神月が密会している…
……この二人が会い そこに同席…
どういう事？……
とにかく これは断れない
行くしかない…

で
何？
ダバ
ダバ
！
………
何と言われても
困りますが
………
彼
忙しそうだけど
ちゃんと会えてます？
！
……こいつ 自分は会ってて
ミサは会えてないのを
わかってて…
なんて奴…
グビッ
会えてるって
いうか
彼って
ああ見えて
結構
甘えん坊だから
毎晩帰ってくると
ベタベタで
大変大変
そう 上手く
やってるのね…
よかった…
………
………
あっ
それと
司会者さんに
前もって言って
おくけど
？
ミサ
紅白で
―

ミサと彼の婚約発表するから
！
カチャ
彼も それは承知で？
あったり前じゃん 婚約なんだから 一人じゃ できないじゃん 約束したのは もう一ヵ月以上前だし
紅白で発表すれば 紅白も盛り上がって いいでしょう？ 司会者さん

そうね…
できるといいわね
「できると」って何よ？
司会者権限でさせない気？
それとも
まさか
あんた
キラに私を
殺させるんじゃ……
……！
まさか…
……
キラが裁く者は
キラが決めます
私は関係ありませんし
私は あなたを友人と
思っているのに
寂しい事を言わないで
……それに どんな酷い人であろうと
私は殺意など抱きません
……まあ いいや
ミサも キラが好きだったけど
いつかキラは必ず捕まる…
……捕まれば あなたも
ただじゃすまないわよ
……
きっと
あなたも
——

死刑
……
弥さん
はい
不愉快です
ええ
こちらこそ

弥さんとお食事するには 弥さんが もう少し 大人になって 礼儀をわきまえてからの 方が よかった様ね
あーら 私の方が 年上よ 清美ちゃん
それに これくらいで 席を立っちゃう方が よっぽど子供じゃ なくて？ おほほ
グビ
グビ
……
リドナー この会話は 絶対に他に 出さないでください
カッ
はい わかって ます
べーだ
でないと 私の大切な友人… そして今年の紅白の華である 弥さんが キラ崇拝者に 殺されてしまいますから
……
ミサミサ 大丈夫でしたか？
あったり 前じゃん 勝ったわよ
勝った？ ？ ？
うん 楽勝

ガアッ
タタン
タタン…
止めてください
何だよねーちゃん
冬なのにこんな短いスカートはいて誘ってんだろ?
だ…誰か

タタン
タタン…
カシャ…
ビ
ビ
ビ
携帯…？
ガサ
！

パタ
ノート！
サッ
ジェバンニです
魅上がノートを出しました…
何!?
削除
か…書き込んでます……まさか あれが…

……!
あっ
魅上が降ります
あとを追い――
プシュー!!
タッ
キャーーーッ
ドサッ

page. 93 決定(けってい)

ダッ
魅上と同じ車両に乗り合わせ女性に絡んでいた男が倒れました
魅上がノートに何か書き込んだ数十秒後です
おそらく…
ニア
Xキラはもう魅上で決まりだな
………
はい

どうする ニア
はい?
魅上を押さえないのか?
……
レスター指揮官
何度も言わせないでください 魅上がXキラと決まっても そういうやり方はしません それでは L・夜神月までは 辿り着けない
最悪 押さえる事で 裁きが止まり… 魅上がキラだったで 済まされる可能性すら あります
全ての根源 夜神月がキラという事を 明らかにし 叩きのめさなければ 意味がありません
KIRA
……うむ…
とにかく まずは 魅上に より近づかねば なりませんが それにあたり 注意すべき 事が あります

それは…死神の存在です
!?
日本捜査本部から聞いた「メロからノートを奪還すべくキラが 死神にメロのとは別のノートを持たせ日本捜査本部に渡した」という話が ありました
つまり 死神はキラに従いノートを持って来たという事になる… ならば 魅上に憑いている死神も魅上に従う 今後 より近づく中で 死神に尾行がバレれば魅上に教えると考えなければなりません
……
……し…しかし 死神はノートに触った者にしか見えない… 見えないモノに注意というのは難しいな……
難しくてもやってください ただ 次は距離を保ち魅上の動向を映像に残す方向で構いません 死神との会話でも得られれば一番です
ヒソヒソ
……わかりました できる限りやってみます

毎晩の様に
高田さんと　こうしていると
もう一緒に生活している様な
錯覚に陥る時があるよ
ええ
私も
夜神くん
夜神くんは
コーヒーなら　砂糖なし
紅茶なら　ひとつね
ああ
ありがとう
しかし　短期間に
よくここまで親密に
なったものだ
そうっすねーっ
これはもう新婚って感じ
そのままっすよ
夜神くん
ん？

……いや…彼女には 中々切り出せないだけで僕の中ではとっくに…
本当かしら………………
…ミサの奴 余計な事を…なんて面倒な…
いや ミサだけじゃない 高田も何故 ミサと…全く女というのは…
まあ 高田のこの行動は僕への好意からのもの何を話しても問題ない
それに一応捜査本部の者へのポーズにもなる…か…
!……
弥さんがキラの裁きを………
……今は私…
いえ 弥さんと私は違う…弥さんは仕方なく私は夜神くんに選ばれて…
彼女にはLの前にキラの裁きをさせていた。彼女が僕の知らないところでキラの力を持ち僕がキラである事を知っていたので仕方なかった。でなければ あんな直情型の女性は選ばない。

キラか……
？
キラが 今の世の中に
必要なのもわかるが
最近 考えてしまうんだ
高田さんと一緒に
なれる日は来るのか……
……と
キラの代弁者として
多忙になるばかり
護衛まで ついている……
二人で平穏に暮らす
なんて 夢のまた夢
だね…
今の僕は
二人でいる事が
一番で
世の中なんて もう
どうでもいいとすら
思い始めてるよ
……夜神くん……
二人だけの
世界っすね
を
月くんが
作ってるんだろ？
ある意味
高田さんを代弁者に選んだ
キラが憎い…
悪人を殺すのはいいが
僕達は悪人じゃない…
幸せになる権利が
あるはずだ…

二人で穏やかに幸せに……
……その為にはキラが居なければ……
おっ？
ああ…キラさえいなければ………
上手いな月くん…
そうね…
キラなんか捕まればいい…？…
えっ？
えっ？
えっ？

そうよ 私達が幸せになるには キラが捕まる事…
た…高田さん 本気で言っているのか？
………
………
できなくないかも しれない…
えっ？ 何が？
キラを 捕まえる事…
や 夜神くん ……
し…しかし それには 高田さんの協力が必要だし 危険も伴う…
僕は 今の警察に 高田さんは キラや今の世に 逆う事になる…

すごい
間だな…
えっ？
や 夜神くん そこまで私の事を？
私と一緒に幸せに暮らしたいと本気で
ああ… 当たり前じゃないか
夜神くん……
高田さん
私が夜神くんに協力する事で二人が幸せになれるなら……

まずは キラがまた直接
高田さんに連絡したくなる
今までより もう一歩踏み込んだ
メッセージを出していく事だ
でも そんなメッセージなんて…
大丈夫だ 内容は 僕が考える
わかったわ
大逆転だ! 流石 月くん ミサミサとの二股からタッキィを協力させる方向に持ってくなんて
………すごいな…
これなら捜査本部にも命懸けで高田のキラ崇拝を変え捜査を進めた様に見える
これで 高田がTVで際どいキラへの呼び掛けをしていけば ニア側は より高田が気になる事にもなる…
しかし ニアも馬鹿じゃない やれる事は やってくるはず…

三日後
すいません
中々一人になる隙がなくて…
四日前の夜です
高田・弥・私の三人で……
しかし 会話の内容は「彼」つまり夜神月がどっちの恋人かでもめているとしか
どういう事だ
ニア？
……
……
この事から言えるのは
夜神月はモテる
高田・弥は夜神月の虜
クネ
クネ
高田
月
KIRA
ニア……
真面目に
真面目に虜というのは厄介です
そう簡単には裏切らない……
いや 意のままに動かせる……

それより ジェバンニの報告に 進展がないのが 気になります
？
いや 今日の連絡でも 魅上はノートを出し 明らかに一人殺したと
いえ ノートの方ではなく 死神です
死神が憑いているなら 三日間で一言や二言 会話してもいいはず…
外では絶対に会話しない様に しているというのなら この一週間で二度も堂々と ノートを出し 殺しをしている事と 辻褄が合わない…
それに 妙なんですよね… これ…
？ 何がだ ？
L 月 KIRA
今 L捜査本部に居る死神は 本部の者にも認知されている つまり 夜神月に加え ノート・死神も監視されている 事になる

当然 Lキラは そこに居る死神を 下手に動かしたり 下手に会話したりは できない
うむ
しかし 魅上の方の死神は Lキラから魅上に ノートが渡されたと考えれば Lキラと魅上だけは そっちの 死神を認知できている
NHN
仮に そうだとすれば 何故 その死神を使い コンタクトを取らなかったのか… 高田を仲介するより ずっと安全ですし 二人にしか見えないのであれば 何らかの方法は あったはず
そう言われれば そうだが… あえて考えるなら 死神によって 使えるのと 使えないのといるという 事くらいか…？…
そうですね… あるいは 魅上の方の 死神もL捜査本部の者に 認知できてしまう…
メロも死神がいると言ってましたが メロが死神を見ている時 L捜査本部にも別の死神がいた事になりますし Mr.相沢・模木も本部にいる以外の 死神を見たと証言している…
なるほど
有り得なくない…

使えない死神なのか…
魅上の死神は Lキラ以外にも
認知できるのか…
高田がフェイクなのか…
それとも…
ピピピ
ジェバンニだ
魅上が
独り言を！
！
独り言!?
はい
死神との会話かもと…
遠距離なので 声は駄目ですが
口元を映像に撮りました
ビデオを
送ります

あ・の・
し・に・が・み
あ・ら・わ・れ・
や・し・な・い
……!
右下に映った紙くずに反応した様です
……
「あの死神ノートを渡したきり現れやしない」……
今「ふ」と溜息を

魅上の勤務する検察庁で休憩時の屋上での映像です
ここです何か喋ってます
もう一度スローで
し・に・が・み・か
「死神か」だ
指揮官というのも伊達じゃありませんねレスター指揮官

この事から言えるのは
魅上は 死神にノートを渡されたが それ以来死神は魅上には憑いていない……屋上で紙くずが転がるのを……死神の気配と勘違いした……です
……うむ……
魅上には死神は憑いていない…
……
ふーん なるほど
ポイ
コロン…

魅上には死神が憑いていない………
page. 94 外
ニア 死神が憑いていないのなら探り易い
あるいは 魅上から夜神月がキラである証拠を得る事も
……そうですね
死神が憑いていない 魅上は そう呟いた……
ここまで見た限りでは 魅上は独自に大胆に動いている節もある……
Lキラの方の死神は キラに協力し L本部にノートを持ってきたが 今は本部の者にも見えていて動けない
魅上の方の死神は キラとのコンタクトに使われていない 二人の仲介役は高田……
ジェバンニ です

魅上のマンションですが外から確認できるだけで部屋の入口にカメラが既に ふたつ…
おそらくは中も相当なセキュリティで侵入は可能でもそれがバレずにというのは困難かと
そうですか… そのくらいしてないと逆に おかしいですしね
……
しかし 外での魅上はノートは常に鞄に入れるだけで割と無防備です もっとも警戒心剥き出しでは逆に不審でしょうが…
……死神は憑いていない……
メロのアジトに最初に踏み込まれた時も明らかに死神は見張りで部隊のヘルメットまで取らせていた…
魅上もカメラを付けるより死神に見張らせた方が怪しまれない…
これだけの状況がある… 死神は憑いていない…

レスター指揮官 ジェバンニと 魅上の生活・行動パターンを より徹底的に調べ ノートを気付かれずに 触る機会がないか 窺ってください
? …… ノートを 押さえる様な やり方は しないのでは?
はい ノートや魅上を押さえ 証拠とするやり方は しません
おそらく 魅上に死神は憑いていない… しかし ノートを触った上で 何日か魅上を観察しなければ 絶対に憑いていないとは 言い切れない…
もちろん 万が一 憑いていたら ノートに触った事が 死神から 魅上に伝わり 殺される可能性も ありますが 今までの考察から 魅上の死神は 魅上に協力的ではない可能性も あります
…………
ノートに触るとして ジェバンニと私 どちらが?
…………
……
上下関係から言うと ジェバンニになります
……か?
もし 死神が憑いていない事が はっきりすれば 完成させられるシナリオの ひとつが浮かびあがります
しかし 憑いていたら 変更が必要になります お願いします
…………… わ…わかりました とにかく まずは 魅上を観察します

今日も月くんは　この部屋で高田アナと会う…
確かに　それで少しずつ捜査も進んでいるが…
この密会を始めて　すぐに
直接　キラから高田アナに電話があり
それ以来
監視カメラは
外され…
その時
私が　まず思った事は
「これでは筆談はできる」だった…
ニアが本部に居る私と
直接　話したいと
言ってきた時も…
わかりました
「今は盗聴器だけ」
ですね
大丈夫です
僕に付ける
盗聴器以外
この部屋には
何もない
ああ
あとは
バスルームだな

月くんも 何故ここまで
カメラや盗聴器を念入りに
チェックするのか…
いや…
高田アナと会っているのが自分だと
漏れれば キラや高田の信者に
何をされるか わからない
当たり前か…
しかし キラからしてみれば
自分の代弁者が 何者かと密会してる
となれば 気になるはず…
何故 キラは
この密会を許している？…
高田の恋人だけで通るものか？…
何かが腑に落ちない…
ニアが言う様に月くんがキラなら
ここで高田に指示を出しているとも…
万が一 筆談をしているとして…
やれる事は…
グッ

じゃあ夜神くんまた今夜
ああ
は〜っ やっと終わった 今日も濃かったすね〜 何時間もキツイっすよこれー
そう言う割には笑顔だな 松田
いつも通り私が出てから20分後にホテル側に通常の営業に戻す様にと
はい 高田様
では 少し時間を置いてから そちらに戻ります
……

高田が帰ってから月くんが本部に戻るまで自分自身に盗聴器を付けているとはいえ 自由に動ける
もし 筆談していたとしてもそれを処分するには十分な時間と移動…
じゃあ 俺は ホテルのチェックアウトに行ってくる
あっ 今日は随分早いっすね お疲れ様です
大変すね ホテルとるのもチェックアウトも相沢さんで
一応 高田アナに会ってたのが月くんだと わからない様に念の為だ 仕方ない
でも ホテルもタッキィが入る直前からカメラ等は切らされ 従業員も指定された階は立入禁止ですよ?会った相手なんて わかるわけない
いや護衛は部屋の前までは来るし部屋をとった者はホテルに聞き出せばわかるまあ それをしたら 護衛も教えた者も殺されるだろうが
…あっ…それじゃ万が一バレたら会ってたのは相沢さんって事に…嫌な役 買って出てるんすねー…
カメラや盗聴器で二人を監視させろと言い出したのは相沢だからな…

ガチャ
ザッ
二人が会う前
月くんと部屋をチェックする時
隙を見て　この部屋の全てのメモの
下から7番目の紙に爪跡をつけた
カチッ

ない！
つけたはずの爪跡（つめあと）が……
パラッ
バッ
……4つのうちの2つに
爪跡（つめあと）がない……

部屋は まだそのまま
従業員は ここに入っていない…
今日二人はメモが必要な会話は していなかった…
何故 メモが新しい物に 替えられている…
……………
これは月くん もしくは高田が…
筆談……
……している……
……
……これは 月くんがキラで 高田アナにメモで指示を 出しているとしか…
どうする？…………
筆談している現場を 模木や伊出に協力してもらい 押さえ…
いや 駄目だ… 本部の者が そんな動きをすれば 月くんなら 必ず気付く…

ピ・ピ・ピ——
ニアか？ 前 言われた番号に掛けたら ジェバンニに繋がり ここに掛けろと
Mr.相沢 お久し振りです
ニア 私は あなたの方を信じる
Lと高田は毎晩の様に会っている
……知ってます
じゃあ これはどうだ？ 二人は筆談をしている 間違いない 会っているホテルのメモに細工し 確かめた
筆談もわかっています
………

L…キラは筆談で高田を通しX…いや 今キラの裁きをしている者に指示を出している それは裁きの対象のズレが修正されている事からも明らかです
Mr.相沢 筆談をしているのはわかっていたとして 問題は…
証拠となるそのメモ自体を押さえたかどうか
……!
いや…それはまだだが…
では 何の意味もありません
!……… ………
そのメモは "切り刻んでトイレに流す" "誰もボディチェックすらできない高田に持ち帰らせ 処分させる" 方法は いくらでもあります
し…しかし あなたの言う様に そのメモを押さえれば証拠になるはず… 部下と申し合わせ 部屋が決まった時点で先回りし潜んでいれば… カメラ等の探知機も人には反応しない 隠れた場所は 私がチェックしたとみせる…
それなら 処分する前に押さえるのは 絶対に不可能ではないと――
Mr.相沢…

余計な事はしないでください
！
余計な事？……
はい 余計な事です 大体 部屋に隠れてというのは無理がありますし メモの内容次第ではいくらでも誤魔化しがきく 私なら 絶対にしません
万が一 全てが思惑通りにいき 証拠となるメモを押さえられたとしても そちらの皆さんが全て殺されるだけです その瞬間 キラを殺すなら別ですが
50
……

キラから
今裁きをしている者に
当然 あなた方の写真は
渡っているでしょう
おそらく ひとつの合図で
いつでも殺せる様にしてあると
考えて 間違いありません
あなた方が今
かろうじて生きているのは
私が存在しているからで
世界がキラに従った今
あなた方は とっくに用済みで
殺されていて
おかしくないんです
……確かに あなた方が
もし そのメモを押さえ
キラに殺されれば 私にとっては
Lがキラという証拠には
なりますが そんな事は
もう わかっている事で
何の意味も ありません
!?
……
……
やり方が違うんです
そのやり方では
キラが自由になるだけで
私が困る
仮に今 キラが誰なのか
世界に証明されたとしても
世界の人間のほとんどが
キラの味方をするんです
……そうなれば 私ですら
キラにとって放置して構わない
存在に なりかねない…
わかりますか?
……
……
……Mr.相沢
もう ただ
キラとしての証拠を
挙げればいいという段階では
ないんです

キラを止めるには キラが まだ顔も知らない この私が
キラの完全なる負けを目の前に突きつけるしか ないんです
Mr.相沢 お気の毒ですが キラは あなた方など 何とも思ってません… 相手にしていない
自分にたかる 蝿くらいにしか 考えてないでしょう
……
しかし キラは 私の方は 絶対無視できない
それは キラにとって私は…

Lとの
プライドを賭けた勝負の
現在の相手だからです
これで負かす事でしか
キラは止まらない
Mr.相沢
はっきり言います
あなた方は もう
蚊帳の外なんです
それを自覚し
邪魔だけはしないで
いただきたい
！
……
……
か…蚊帳の外？
……
命懸けで
ここまでしてきて
……
我々の存在は……

これが現実です
ただ それでも キラを捕まえたいと いうのなら… 私に協力して頂けると いうのなら…
?
今まで通り ただ見張っていて ください
それが私にとって いや キラにとっても 一番 有難い……
……ただ見張るだけ
そうです それ以上の事は 無意味 いえ こちらとしては 迷惑です
シナリオは ほぼできています そのシナリオを壊す様な事は してほしくない
キラもまた 私に勝つべく シナリオを作っているでしょう あなた方に想定外の動きをされるのは 面倒で 時間の無駄としか考えない

ニア…… 私達は見ているだけで存在意義はないと？
違います Lを見張る事で意義はあるんです そして それが私のシナリオに入っている
その形で私に協力して欲しいという事です…… キラに勝つ為に…
確かに キラは 人を虫ケラの様に殺す しかし キラが私と相対する時まで あなた方を生かしておく可能性は十分ある
……見届けてください
キラの最後を
……
……
……キラの最後を見届ける

……Mr.相沢？
……キラを捕まえる為にやってきたんだ……もし ニアが本当に捕まえられるというのなら…
わかった…
ガチャッ
相沢さん遅いっすねーどこで油売ってんすかね？
相沢 ホテルに入った時こそこそ何かしてた様だがもう関係ない ニアに何か言っても煙たがられるだけだ……

DEATH NOTE

HOW to USE IT

LXIII

- No matter what medical or scientific method may be employed, it is impossible for humans to distinguish whether or not the human has the eye power of a god of death. Even gods of death cannot distinguish this fact, except for the very god of death that traded his/her eye power with that human.

死神の眼球を持った人間の判別は、
人間界のどんな医学や科学をもってしてもできないし、
死神でもその人間と直接眼球の取引をした死神にしかわからない。

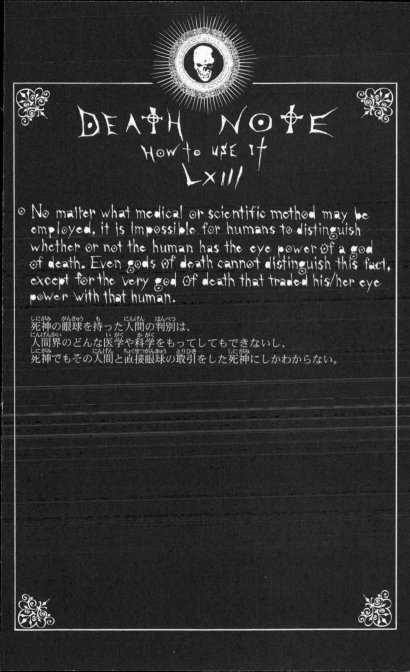

ああ
すまない 母さん
今年も帰れない
粧裕に伝えてくれ
必ず来年は
全て納得いく形にして
家族で一緒に過ごすと
……
月くんがキラ…ならば
次長を殺したのは月くんも同然…
全て納得いく形でというのなら…
父の仇として キラを捕まえる
という形しかない…
他の者をキラとし 捕まえた様に
見せて…?
……
いや それではキラの裁きは止まる…
!
ま…まさか
世界に加え 母と妹にまで
キラを認めさせ
父の死も仕方なかったと
思わせるという事か?
……
お…恐ろしい…

page. 95 納得

page. 95 納得

さーっ
いよいよっすよー
紅白
あの
殴り合いの方
見てーなー
……
では この後は
紅白歌合戦で
お楽しみください
松田
紅白を見るなとは言わないが
裁き報道と被害者のチェック
済ませろよ
はいはい
それは 今年のトップバッター
我等がミサミサの出番の
後って事で
世間は ほとんど休みなんすから
僕達だって そのくらいの休憩は
いいでしょ
まあ そうだな…
俺も ミサミサくらいは
見るか
伊出さん
話わかります
ね――
で 月くん
本当に婚約発表
会社員Aさんで
しちゃうの？
月くんも
大変だな
ええ…
まあ…
ミサの好きな様に
やらせる事にしました

第60回 NHN
紅白歌合戦
第60回
紅白歌合戦
今年も あと わずかと なりました 私にとっても 2009年は 大きな飛躍の年と なりました
そして その締めくくりに 紅白歌合戦の 総合司会という大役を おおせつかりました 高田清美です 宜しくお願いします
そして 紅組の応援は 来年の大河「坂本竜馬」 おりょう役の 浜咲亜美さん
はい 紅組の為 全力で がんばります
白組の応援は 竜馬役 流河早樹さーん
はい おりょうとは 恋人役だけど 今は敵 やっつけます
こっちの台詞ですわ 竜馬様

ここで 皆さんに
お詫びしなくてはならない事が あります
残念な事に 今年のトップバッター
ミサミサこと弥海砂さんが
まだホール入りしておりません
なんだ それ〜っ
どういう事だ! 模木からは 何の連絡もないぞ!
ザワ
た 高様 生放送ならでは そして ミサミサさんらしい ハプニングですね
はい 何が起こるか わからない それも紅白の 見逃せないところです
ザワ
皆さん大丈夫です 私達 紅組は これくらいでは ひるみません
ミサミサの代わりに 今年のトップバッターを 飾ってくれるのは つい先ほど CD大賞グランプリに輝いた 朝丘綾芽ちゃんです
は――い 任せてくださーい がんばりまーす

歌は もちろん「キラキラな世界」
♬ ♪ ♬ ♪
なんで CD大賞グランプリの綾芽ちゃんが居て その30分以上前に歌ったミサミサが まだなんだ? これって演出すかね?
今 模木の携帯から現在地を確認したが 赤坂… つまり まだ CD大賞のEBSに居るという事に
まだ そんなところに おかしいな
カチャ カチャ
伊出さん 模木さんに連絡を
ああ
トゥルルル… トゥルルル…
出ない
出ない?
ああ コールは するんだが ………
ピ ピ
ミサにも連絡して みます

駄目だ 模木さんと 同じ状態だ ……
おかしいな どうなってる？ ……………
……
キラ崇拝者…いや 高田崇拝者に 高田アナと弥の仲が悪いのが漏れて …というのは考えられないか？
いや 高田は表向きは 常に友人と言っていた あのリドナーという 護衛が漏らすとも 思えない
……… だったら…
タ…タッキィ自身が ミサミサに婚約発表 させない為に
ん？
だから もしかしたら タッキィが キラに…
ま… まさか…
ありえません 高田アナには 話をつけた 皆も聞いてた はずです
で…でも 月くんの前では 納得した様に 見せたとしても 女心ってのは微妙っす からね…
………… …………

弥が婚約発表し
その相手が誰なのか
マスコミ等に嗅ぎつけられて
一番困るのは月くん…
もしや 月くんが高田に指示を？
………
いや 婚約者としてなら
別に困る事はないか…
それが 直接キラに繋がる
訳でもない…
ならば やはり高田が嫉妬で？
………
車が遅れているだけなら ともかく
連絡が取れないのは
おかしすぎますよねー
そもそも
模木の携帯は
全然 動いてもない
放置状態にあるとしか…
模木 何をしている？
どうした？
………
一昨日 ニアに連絡を取った後
関東テレビに弥と居た
模木の所に寄り 模木にだけは
メモの事を話したが
あの事が
何か関係しているのか？
………

あの時 模木は私の考えに同意してくれた
……………そして ニアに任せ 我々は月くんと弥の見張りに専念すると再確認したんだ
もしや ニア側に回った事が月くんに漏れ… いや ならば私が無事で 模木だけというのも おかしい…
とにかく 二人の行方を
そうっすね 二人の安否… それに このままじゃ 紅白も めちゃくちゃっす
紅白なんて どうでも いいんだよ
NHNホール
高様 すいません… まだ連絡が つかない状態です…
……そう… たとえ弥さんが 最後まで 来なくても 何とかします
どうなっている? 高田がミサを殺るはずがない
…………そこまでは馬鹿な女じゃない
……………そうなると やはり…

ちょっと——
早くNHNに
行ってよ——
人さらい——っ
もう
出番過ぎて
るんだって——
そうじゃなくたって ミサ
ドタキャンの女王って
言われちゃってんだから
!
ミサミサ
おとなしく
黙っていて
ください
モッチィ
……
なんでよ?
……
キラを
捕まえる為です
キラを
捕まえるって…
ミサ 関係ないじゃん
……
だ…大体 これって誘拐じゃん
私を殺す気?
いっつもいっつも
私の邪魔ばかりして
あなたは一体なんなのよ

………月くん
はい？！
これは…ニア側が関係している可能性が
たぶんそうでしょうね
黙っている訳にもいかない
カチャ
カチャ
ピピピピピ
まず来たのはジェバンニではなくLの方か…
模木と弥海砂の行方がわからない
はい
こちらで身柄を拘束させて頂いてます

ごめんなさいね ミサさん
謝るなら NHNに 戻ってよ
Mr.模木 すまない 最悪 銃を 突きつけてでもと 考えていたが 抵抗せずに… 助かった
……相沢さんの話を聞いていなければ 抵抗していただろう…
だが メモの話を聞いてしまったら… もはや… ニア側の思惑通りに動く方が…
ミサさん おとなしくして頂ければ 手荒な事はしない ただ 紅白は諦めてほしい 我々にとっては キラ崇拝者の 護衛がいない EBSを出る所が 一番確実だったんです
……でも 大体 世間が そんなの許さ…
!
そっか… また 清美 怒ってるだろうけど まあー 司会者の面目は 丸潰れだし いい気味かも
……

な なんだと
ふざけるな
ニア…
何の為に
念の為に
…………
…………

こ…これって
少なくとも
軟禁じゃないっすか
前のLといい
ニアといい…
ああ これは
完全な犯罪だ
……………
ニアはノートの所有権の事は
知らないといっていい
当然 所有権を棄てる事で
目の取引をしていた場合
目を失うのも知らない
という事だ…
知らないならば〝第二のキラ〟だったと
されるミサはニアにとって不安材料
それを来るべき時に備え
とりあえず排除したという事…
ミサから何か得る物があるとも
考えての事かもしれないが
その心配はない
夜神月
私のこの行動の意味は
わかっているはず
現時点では こちらの
思っている事は言い
やっている事の意味は
示すべき
そうしなければ
先に進まない
ここはまだ ニアの筋書き
いや 僕とニアの筋書きを進める為に
ニアに乗っていて問題ない
しかし本部の者への建前も見せなくては…
ニア
誘拐監禁は犯罪です
すぐに止めてください
それが
!?

Mr.模木も弥も快く受け入れてくれてます
！
私とは少し離れた所に居てもらっていますがL あなたと二人の会話は可能です繋ぎましょうか？
いや それをしたら誰がLかバレるんじゃ？
そうか 模木は ともかく弥が居るとなると…
今のL＝夜神月 それはニアはとっくにわかっている ミサも建前上「月」とは呼ばないはず いや 呼んでも もはや何も関係ない 今は前に進めていく事だ
二人の安否と あなたが言っている事が本当か 確かめる必要があります 繋いでください
どうぞ
カチャ カチャ
模木さん ミサさん Lです
！
月！
ニアに軟禁されている様ですが それに応じたというのは本当ですか
模木…

…はい
……
キ キラとの決着がつくまでジッとしてた方がいいってじゃないと皆殺されちゃうかもってモッチーも言ってたし……………
ミサも それでキラが捕まって完全に自由になった後彼と暮らせればそれでいいし
模木はニアの方を信用したという事か…
……
わかりました二人が応じてるのならいいでしょうしかし いつ出てもいい事を忘れないでください
では 通信をニアの方に切り替えます
カチッ
ニア了承しました
L…
私がLとして私の推理を世界に発表すればノートの存在も含め誰がキラなのかかなりの人間が納得し信じるでしょう
そうなればキラの命を狙う者も必ず出てくる…しかし キラも みすみす殺されるはずもない崇拝者を使い それを阻止する

私は そんな意味のない血を 流させる事なく 私がキラに勝つ事で 収めたい
こ…こいつ 月くんをキラと 決めつけといて まだ こんな事を……………
ニアが勝つか 月くんが勝つかという事か…
それでしか キラは止まらない… それが ニアの考えだったな…
ニア あなたの推理は間違っている 推測の域で 世間に発表する事は 一番やるべきではない
そうですね 確たる証拠を突きつけ 終わらせるつもりです
もし 私の考えが間違っていれば もはや その時点で そして もし考えが正しくとも 私がキラに負ければ もう世界はキラの物と言っても 過言ではないでしょう
そうなった時 キラは私を殺し 必ず――
ノートの存在を知る者 全てを殺します
それが キラにとっての 完全
ニア… キラの完全 そういう世界に 近づいている事だけは確か だから 我々は一刻も早く キラを捕まえなくては ならない そこだけは同意です

とにかく 弥海砂は目を持つ第二のキラだった可能性が極めて高い よってキラが また その目を使う事を念の為に封じました キラとの決着がつくまで いえ 私が許可するまでいてもらいます
L これ以上言わなくても あなたなら 今の状況はわかっているはず…
わかってるさ そっちは着々と準備を進めている いらない者は排除し舞台を整えている とわざわざ僕に教えてきた
面白いよ ニア… こっちも魅上にやらせている 準備は進んでいる 上を行くのは僕だ おまえの言った様に おまえを含め ノートの存在を知る者は全て死ぬ
どうする 月くん 模木と弥は本当にあのままでいいのか？
二人がいいと言っている以上 仕方ないでしょう
それより ニアは 前Lを崇拝するあまり 相沢さんか模木さんから得たであろう 前Lが僕とミサを疑っていた という事に固執しすぎている… キラを早く捕まえ ニアも楽にしてあげる事です
うむ… キラにしろLにしろ その崇拝者というのは 厄介だな…
言ったんすか？ 相沢さん…

NHNホ
ふざけるなー
ミサミサを出さずに終わらす気かー
ミサミサを出せー
ザッ
ザッ
あっ
わっ
ガしっ
いや 違う
すいません…
タ…タッキ…いや
高田様に文句言ったのではなく…
ザッ
ザッ
NHNホール
それでは
世界が大きく変わった2009年
来年が世界の人々にとって
更に よい年に
なりますように
よいお年を
さようなら

ここで 皆さんに お詫びしなくては ならない事が あります
残念な事に 今年のトップバッター ミサミサこと 弥海砂さんが まだホール入りして おりません
リドナー達は上手く やっている様だ よし…こっちも
page. 96 一方
DAI KYOTO HOTEL
ザッ
♪♪
9時を回った…
フィットネスクラブ
スイミングスクール

page. 96 一方

12月27日 日曜
はい 魅上は 仕事で帰る時間が 多少異なるくらいで 毎日判で押した様な生活を しています 潔癖症なところも ありますし
それで 毎週日曜と木曜の 21時から22時半までは 必ず そのスポーツジムに ?
はい 私も会員になり 裏も取りました
入会してから4年間 きっかり その時間に 2006年の元旦は日曜でしたが そこですら休んでいません 決まった曜日・時間に行きたい為に 365日無休のホテルのジムを 選んだとしか思えない くらいです
では 今度の木曜 31日も行くと考えて いいでしょう
はい 元旦に行く奴です 大晦日だって行くに 決まってますよ
ガリ ガリ

……31日 魅上が ジムに行けば その時間 高田は紅白の司会……
ジェバンニ 31日に ジムで ノートに触る事は 可能ですか？
！
……
ノートに触る事は できると思いますが……
いえ… 魅上の自宅に入らず ノートに触るなら そこしかないと考えます 私でも ジムのロッカーや 魅上の鞄の鍵くらいは開けられます……
ホテルの方の セキュリティは 確認済みですか？
はい もちろん ホテル内に 監視カメラは ありますが ロッカールーム内には ありません 着替えの場ですから……
！
では 31日に 魅上が行く様であれば そこでノートに触れてください
高田は紅白の司会を してますし 念の為 Lの気は こちらで引いておきます

死神の憑いている可能性は？
……
現状では憑いていないと思いますがそれを確認する為にやってもらうんです
もし憑いていたら……
その時は その時で…… 今考えている策を考え直さなければなりません
ノートに触り死神が見えなかったとしても…ある程度の期間 観察し憑いているか いないか判断したい
……憑いていたら私が死ぬ可能性もありますよね？
あります
……
……
怖ければ レスターにやってもらいます
……わかりましたやります
死神以上に魅上に気付かれぬ様お願いします
……はい

DAI KYOTO
フィットネスグ
スイミングス
魅上…
MEN'S
大丈夫だ
ロッカールームには
カメラはない
魅上のロッカーは
19…

カチャ
カチャ
カチャ
カチャ
カチッ
……
カチャ
カチャ
カチッ
……死神が憑いていたら……
いや それなら既にこの時点で…
もう触るしか……

……大丈夫だ
とりあえず 死神は見えない…
18
19
カチャ

A HAPPY NEW YEAR
魅上とジェバンニが ホテルを出るのが23時頃 ……… 魅上が帰宅するまで尾行… そろそろ ジェバンニから 連絡が来ていい頃だな
はーっ 早くキラ捕まって もらわないと ミサこんなのばっか なんてだろう…
弥海砂 前Lが第二のキラ容疑者と していた者…
………
しかし 50日以上 監禁され 何も言わなかったという事もある 弥からというのは… 大体 人を殺せるノートだ 常識では説明つかない事も あると考えていいだろう もちろん それらを解明するのが 我々の目的でもあるが…
いえ わかってます 弥から 今さら何か得られるとは 期待していません あくまでも ジェバンニがノートに触れるのに 少しでも楽になればという事と 一応 目の事を考えて こうしているだけです
ピピピ
ジェバンニだ
どうだ?

ノートに触る事に成功しました
おお！
今のところ死神は視認できません
……
ノートを触ったのが21時9分
魅上が帰宅したのが0時7分です
その直後まで距離をおいてですが尾行を…
とりあえずその3時間は死神は見えなかった
そういう事ですね？
はい
では引き続き 様子見をお願いします
わかりました
ピッ

レスター指揮官 Mr.模木に繋いでください
カチャ カチャ
Mr.模木 火口がヨツバで死の会議をしていた時の死の規則覚えてますか?
!
死の規則? 何それ? 何か怖~
……もはやニアの方に協力すべき…
はい 覚えています
随分前の話になりますが…
二代目Lにメロの情報と交換にノート自体に書き込まれたルールとその死の規則というのを教えてもらいましたが病死で その病気の進行にそれ以上の時間が必要でない限り死の前の行動を操れるのは23日間
間違いありませんか?
ええ それは間違いない 私達が実際に試した訳ではないがヨツバの殺しはそれを証明していたといえます

ありがとうございました
ピ
……
では可能性として魅上のノートに死神が憑いていてジェバンニがノートに触れた事を魅上に教え既にジェバンニが操られ「憑いていない」と言わされている事も一応考え…
ザッ
Lと対峙するのはーー
24日以降ジェバンニが生きていたらとしましょう
……
しかし生きている事を前提に策を進めていきます

1月3日
高田さん 紅白 大変だったね
ええ… 弥さんが行方不明だなんて… 夜神くんが婚約発表をさせない為に 弥さんに出ない様 説得したのかとさえ思ったわ
海砂は SPKに 監禁されている
それに関しては 僕には よかったのかも しれないが そんな事はしないよ
で まだ行方 わからないの?
弥さんがキラを捕まえようとしている者に捕まっているのはまずい 早く手を打った方が、 はず。
ああ 連絡も取れないし 僕も心配だ… もしや ミサが高田さんの事を 悪く言ったりして キラ崇拝者に という事も…
何度も言わせないでくれ。 海砂から何かが漏れる事はない。
心配ね… 私も 夜神くんとの事が あるから 余計 気になってしまって ………
しかし 心配ばかりしていても 仕方ない 警察も捜索しているし ミサの事だ また ケロッと戻ってくる気も

そんな事より 今のところ 高田さんの呼び掛けで キラが君に直接 電話で応えてくるというのは 難しいな…
「そんな事より」って 酷くないっすか? 月くん
ニアの方に居ると わかってるから だろ…
そうね 応えてきても 裁きのリストと一緒に 局長のPCにメールで… 中々 思う様にはいかないわね
ただ たとえ局長のPCへの メールでも こうして高田さんが キラの直の返事を渡してくれる事で 必ず何か得る物はあるよ
そう?
この文章から 年齢 もしかしたら地域性… 少なくとも精神状態は 読める
こういう世の中だから 安易に専門家に分析に出したりは できないが 僕だって やれない事はない がんばるよ 二人の将来の為にも
うんうん 月くんなら できそうだ ヨツバの時も 月くんの 分析から だったし
ほーっ
夜神くん ………

月くん…一見 捜査を進めている様に見せているが もはや私には何も進んでいない様にしか思えなくなっている… いや 実際 進んでいない…
それどころか こうして高田アナに会い 筆談でニアを…私達を皆殺しにする算段をしているとしか……………… 恐ろしい…
ミサ・模木を軟禁した事から考えてニアは かなり準備を進めている……
………これでいい……
事は計画通りに進んでいる
後は 魅上に確認させるだけ…
T に全て確認できたら清美に伝える様に指示を。そして そのメッセージが来たら清美はすぐに僕に電話でもメールでもいいから「早く会いたい」というメッセージをくれ。
じゃあ これからもキラからのメッセージは全てもらえるかな 二人の将来の為に…
わかったわ 夜神くん 信じてる…

1月6日
どうだ ジェバンニ
はい この一週間 死神は 一度も確認できません 魅上は昨日から また いつもの生活に
……
もう 大丈夫でしょう ……
？
明日 ジムに行った所で もう一度ノートを取り
今度は その全てのページを 写真に撮ってください

写真？
…… ……
はい 実際に
どう書いているのかを
観たい
今 キラの裁きの
ほとんどが
午前0時過ぎに
行われていますが
それが 魅上の規則的な
生活の為なのか
あるいは死の時間を
操っているのか
そして
書き込みに
何か規則性は ないか
……
癖は ないか
……
さらに
ノートとは どういうノートなのか
外見 表紙 裏 背表紙
その全てを こと細かに
この目で観てみたい
……わかりました

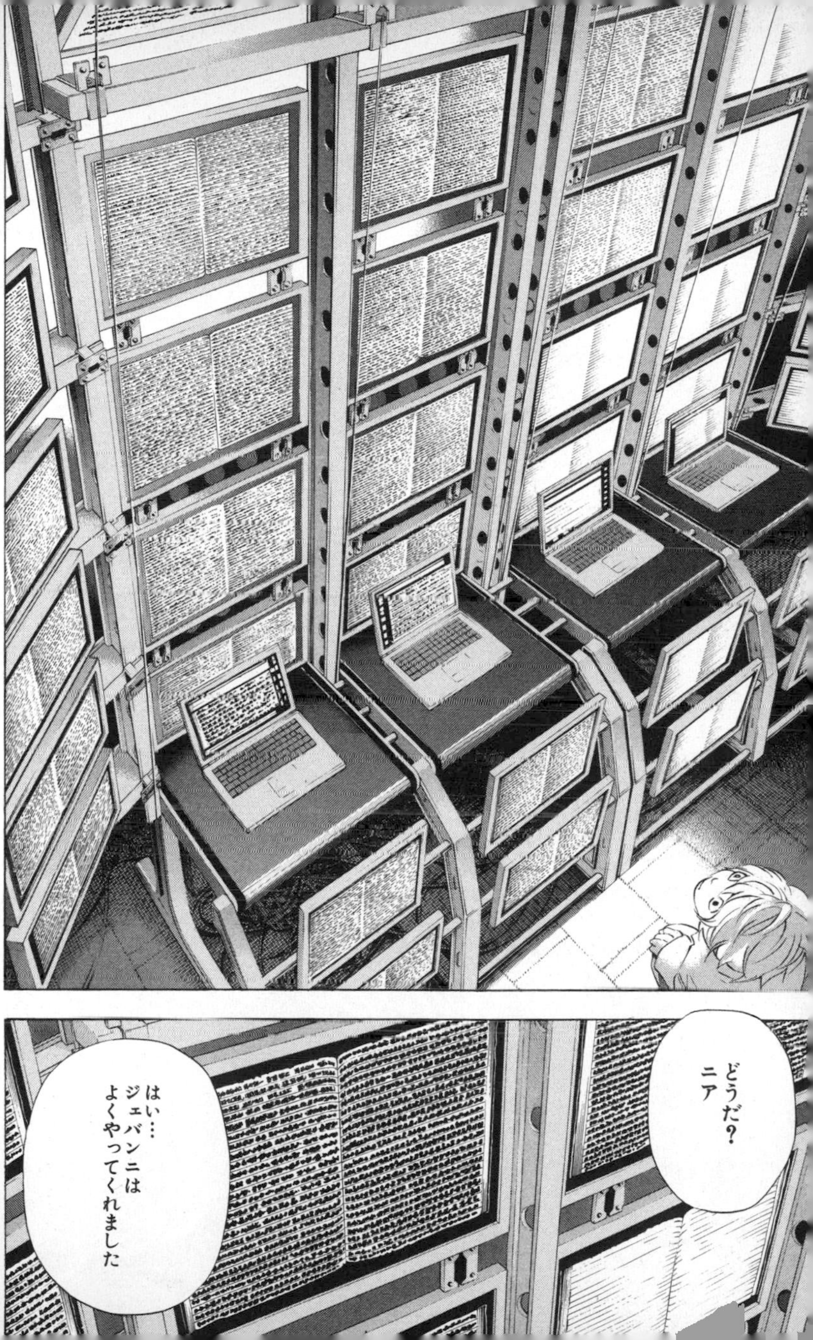
どうだ？ニア
はい…ジェバンニはよくやってくれました

そういう事じゃなく
筆跡も魅上の検事としての調書等と一致 魅上が書いた物に間違いありません
うむ
そして 裁かれた者の死と照合すると 出目川や我々がノートに書き込むのを見た者以外は0時過ぎに…ただ名前だけを書き込んでおり…
1日に1ページ…埋めつくしたところでその日の裁きを終えている…
……はい
これならいけます

DEATH NOTE
How to use it
LXIV

◎ The following situations are the cases where a god of death that has brought the DEATH NOTE into the human world is allowed to return to the world of gods of death.

人間界にデスノートを持ち込んだ死神が死神界へ戻っていいのは

1. When the god of death has seen the end of the first owner of the DEATH NOTE brought into the human world, and has written that human's name on his/her own DEATH NOTE.

1．人間界に持ち込んだノートの最初の所有者となった人間の最期を見届け、自分のノートにその人間の名前を書いた時。

2. When the DEATH NOTE which has been brought in is destroyed, like burned, and cannot be used by humans anymore.

2．持ち込んだノートが燃える等して人間が使えなくなった時。

3. If nobody claims the ownership of the DEATH NOTE and it is unnecessary to haunt anyone.

3．誰も所有権を持たず、憑く必要がなくなった時。

4. If, for any reason, the god of death possessing the DEATH NOTE has been replaced by another god of death.

4．何らかの理由で持ち込んだノートに憑く死神が交代した時。

5. When the god of death loses track of the DEATH NOTE which he/she possesses, cannot identify which human is owning the DEATH NOTE, or cannot locate where the owner is, and therefore needs to find such information through the hole in the world of gods of death.

5．自分が憑くそのノート自体への場所や、所有する人間が誰なのか、また所有者の居場所がわからなくなり、死神界の穴からそれを探す時。

Even in the situations 2, 3, and 4 above, gods of death are obliged to confirm the death of the first owner and write down that human's name in his/her DEATH NOTE even when he/she is in the world of gods of death.

2、3、4の場合でも、自分が最初に譲渡した人間の死は、死神界からでも確認し自分のノートに書き込む義務がある。

2010年1月7日 A.M.3：00
被害者のリストと その死亡推定時刻から
ノートに名前が書き込まれるのは 時間指定もなく 毎夜0時過ぎ…
1日1ページ… 魅上は規則正しい生活をし
この書き込みも その規則的な生活の一部…
page. 97 色々
殺人ノート…
死神は憑いていない…

レスター指揮官 ジェバンニに
ジェバンニ よく撮れてます これなら大丈夫です いけます
？… …はい
しかし… 殺人ノートとは もっと異質で 魔力の様なものを感じ取れるとも 思っていましたが メロの言っていた通り 何の変哲もないノートですね…
はい… いわゆる 大学ノートという 感じです
それにしても ジェバンニ あなたの名前が 書き込まれてない 事が大きい
はい
日本捜査本部の方のノートは Mr.相沢達の監視下にある 死神が憑いていない限りは Yキラ…第三のノートで 操られているという可能性は ほとんどないと考えていいでしょう
……ニア 大丈夫です 私が操られている様に 見えますか？ 大体 操られていたら ノートを写真に撮れると 思えません
……
そうですね ……

ですが 一度病院で精密検査をして 身体が何かの病気に蝕まれていないか 一応診ておいてください
……
……はい
何の病もなく ノートに触った時から23日 つまり 1月23日まで生きていれば 少なくとも あの時点で ノートに死神が憑いていて 魅上に伝わっていたという事は なくなります
死神が憑いていないのなら ジェバンニの尾行に ミスはないと信用し その1月23日以降 できるだけ早く…
Lとの決着を つけます
23日… あと 二週間と 少しか…
それまで 夜神月・高田清美・魅上照の動きは あえて今まで通りの 観察しかしません… …が…
最後の仕上げ… 特にジェバンニには もうひとがんばりして もらう事になります
はい

page. 97 色々(いろいろ)

成人式
成人の日
今年も滞りなく
成人式
高田清美
成人の日
今年も滞りなく
成人式
高田清美

NHN

19
SPORTS GYM
DAI KYOTO

1月22日 A.M.2:00
ニア 上手くいきました 全て言われた通りに
はい
わかりました……
……後は 次の日曜24日まで 魅上の様子を今まで通り観てください
そこで 魅上に特に変わった様子が観られなければ…
すぐにLとの直接対決へもっていきます
……
1月23日
T…今日 お伝えする事は以上です
確かに承った

こちらからもひとつ伝える事が
はい？
確認した
ビッ
「確認」…！
ピピピ
ピピピ
高田アナからだ
02:19
メール受信 2010/ 1/23
To
Sub
早く会いたい
機能
選択
送信
やった！これは魅上から「確認」が来た合図
くぅっ「会いたい」って…羨ましいなぁ～もぉーっ

ニアは思いの外
早く 魅上に辿り着いていた
という事に…
しかし これでいい…
ニアは 魅上を捕まえたり
殺したりする
やり方は しない！
いつかは 魅上を見つけ
最終的には この策を取ってくる
だろうと考えていた事をまさに…
後は ニアが会おうと
言ってくるのを待てばいい
ニア…僕の勝ちだ！
おまえが どう動くかは
はなから読めていた
1月25日 A.M. 4：00
カチャ
カチャ
ニア
私が言うのも何だが
これなら上手くいく
………
ジェバンニ
です

ニア ノートの確認をしました この三日間も通常通り 1日1ページ 被害者とも一致
魅上自身にも特に変わった様子はありません
……わかりました……
25日 A.M. 9：00
しかし ニアは何を考えてるんでしょうね？ 模木さんとミサミサを監禁してもう三週間以上っすよ
そうだな… 二人の状態はいつでも確認できるが あれ以来ニアからは何も言ってこない
……
……
まあ こっちも この三週間 ほとんど捜査が滞ったままだ… 互いに行き詰まっていると考えれば 仕方あるまい
……
何とでも言え 相沢 もう勝負はついている おまえ達も もうすぐ楽にしてやる

三週間…
逆算すれば簡単にわかる事だ…
ニアが 魅上に辿り着き接触したのも
模木やミサを監禁したのと同じ頃だろう
ニアは念には念を入れ
魅上を尾行し接触した者が
操られていないか23日間は観た…
そして その接触させた者が
操られていないと確認した
これで
準備は整ったな
ニア
はい
さらにニアは既に
魅上に死神が
憑いていない事も
確認したという事になる
大丈夫だ ニア…
…………
安心して自分の策を
進めるんだ…

2010年1月25日 A.M. 11:05
ピピピ
来たか?
あっ ニアっすよ
!
L
何でしょう ニア?
お会いしたい
どうしても キラ事件に関し お見せしたい ものが
はい?
建前は「お見せしたいもの」か… いいだろう

しかし 私をキラと考えているのでは？ならば 私に顔を見せたくないはず
いえ…
私の顔を出さなければ見せられない顔を出す事でお見せできる事もあり
それで全てが解決します
N
？……？
……
いいでしょう 私も早く あなたに勘違いしていたと気付いてほしい
……ニアは月くんがキラだと証明する為… 月くんはニアを殺す為… 遂に この時が…
……会う事に際し少し取り決めを……
はい 何でも言ってください

DEATH NOTE

HOW to USE IT

LXV

- In the world of gods of death there are a few copies of what humans may call user guidebook for using the DEATH NOTE in the human world. However, the guidebook is not allowed to be delivered to humans.

デスノートの人間界でいう取扱説明書的な物は死神界に数冊存在するが、
それを人間に渡す事は許されない。

- It is perfectly okay for gods of death to read the guidebook for him/herself and teach humans about its contents, no matter what the content may be.

それを自分が読み人間に教える事は、
その内容がいかなるものでも全く問題ない。

会う事に際し
少し取り決めを
はい
何でも言ってください
私をキラと疑って会うのなら
細かく条件を出したいのは
そちらのはず
こちらは 特にありません
うん うん
ニアは こっちを出てこさせる為の
必要条件は わかっている
まずはニアに言わせ あまりにも
不利な事が出たら 飲まなければいいだけ
夜神月…
私の言う事は 大体わかっているだろう…
対峙できなければ 互いの策が潰れるだけ
おのずと条件は決まってくる…
そして 魅上の扱いも…
page. 98 全員

KIRA
page. 98 全員(ぜんいん)

まず 互いの捜査員が全員 その場に揃う事…
つまり 会う時に 今 キラを追っている 全ての者が集まる
これは… SPKのメンバーが全て そこに居る事は キラである夜神月にとって 必須…
…いいだろう ニア その条件がなければ 僕は出ていかない… しかし 全員集まる建前は どう繕う…
何の為に 互いの捜査員の 全てを？
いくら何でも あなたと私が 一対一で会ったのでは その場を目撃する者が いない
仮に 私が あなたを キラだと証明しても 究極 あなたが 私を絞め殺せばいい という事です
それに 皆さんも 命懸けでキラを追ってきた もし キラが明らかになると するならば 皆さんには 立ち合う権利… いや 義務があると思います
また 全員がいる事で そこでの事と私の顔が 外に出るのを防ぎたい
……… なるほど…

この事件を追う者全てで その場で起きる事… その結果 現実を観てもらい これから どうするべきかを 協力し 決める
……何が起こるって いうんだ？
わかりました いいでしょう
こちらは 前にも言った様に 私を入れ 四人
それが SPKメンバーの 全てです
ポコッ
そして お預かりしている Mr.模木は会う時 私達と同行してもらい 弥は その直前に 私達の行き先は教えず 解放します
そちらに 弥の解放の確認を してもらってから会う
どうでしょう
コロ…
……どうなんでしょう？
……
SPKは ニアを入れ 四人…

つまり これに嘘がなければ
魅上の尾行も その時はないという事に…
……
後は メロという事になるが…
独自に動いていたとしても
ニアと組んでいるとは思えない
いや 万が一 組んでいたとしても
ニアさえ殺せば 今やメロは ただの犯罪者
言う事など誰も信用しない
それに メロは本名も わかっている
……
ニア わかりました
我々四人が 本人であるかどうかは Mr.相沢に その場で確認 してもらえると思います
ニア 私にとっては その場に来る者が あなたであろうとなかろうと 関係ない
あなたが そこにこだわるのは 私をキラだと考えている為 ニア本人でなければ キラは出ていかないと 考えているからでしょう？
夜神月 Lとしての対応は それでいい
しかし おまえにとって 本物でなくてはならないのは確か…
……互いのプライドを賭けた対峙
ここでニア本人が出てこない様なら
最初から Lの後継者などと
言うに値しない者だったという事だ
大体 対峙する時
ニアがニアでなければ
互いの策が潰れるだけで何も始まらない…

それに ニア これだけ会話をしたんです 顔を知らなくとも 実際に会い 少し言葉を交わせば あなたかどうかの判断は つきます 念の為 相沢に確認は取りますが
そうですね それは 同感です
来るのはSPKの四人…
こちらの捜査員は 私を入れれば五人… いや 模木が そちらに居るので 私の他は三人です こちらも これは信用して もらうしかありません
俺は 入らない よな?
そりゃ そうだ
お互い こんな世界状況の中 この少人数でキラを 追っているのですから 早く和解し 力を合わせたい
……………… わかりました
では 次に 会う場所 ですが──
そこに集まる者が 外から見る事のできない場所と したいと考えています
カチャ カチャ

それも 私にキラの疑いをかけているのなら当然の事でしょう
はい…望遠レンズ等を使っても見えない場所と考え壁に囲まれた場所にしたいと思います
何処かもう候補が？
大黒埠頭 東南側の外れにある今は使われていない通称 YB倉庫ここでよろしければ既に買い取ってあります
大黒埠頭…倉庫…
周辺には何もありませんし中にも何もありません今 画像をお送りします

どうだ 夜神月……
これなら
おまえのやろうとしている事も
可能だろう
鍵も つけてませんので
いつでも下見はできますし
気に入らなければ
他を探します
横浜……
倉庫…
入口は ひとつ……
なるほど
ここなら…

隠しカメラ等がないかは入る直前に互いのメンバーが確認する
それもあなたの顔が外に出る事がない様にという配慮ですね
はい ですから中に入る時は一切の通信機器を持ち込む事も禁止します
これもこの中で起こる事が外に漏れる事のない為に…
そして
カメラの付いた携帯等で写真を撮られない為です
………な…なんでそこまで…
だから ニアは月くんを疑っているから 写真でも撮られたら殺されると
…………

いや だって 月くんがキラなら その場で顔見れるん だから 写真なんて 意味ないでしょ
……いや 月くんは 死神の目を 持っていないという 考え方だろう
伊出の言う通りだ ニアは月くんが目を持っていないと 思っているからこそ 後で他の者に写真を送られ 名前を書かれる事を阻止したという事か…
通信機等は 持ち込まない…
いいでしょう
その代わりと言っては何ですが 持ってきて頂きたい物が ひとつ あります
そちらの捜査本部にある ノートを L以外の者に 持ってきて頂きたい
!

ノートを……
……そうか……
何故 ノートを？
簡単な理由です 皆さんが そこを出払ってしまったら ノートを見張る者が いなくなるからです
約束します 奪う様な事は しません 手に取る事すら遠慮しましょう それが そちらの本部にあった ノートだと Mr.相沢が証言すれば それを信じます
……！
ニア…見張り…か… わかった…
ただし 持つのは L以外の者にしてください 私は Lがキラだと 思っているんですから…
……
いいですね

ニア わかりました
ただし あなたと こちらの者の 誰かが打ち合わせ ノートを奪うという 可能性も0ではない 私は持たないが 持つ者は私が決める
いいですね
わかりました
では 後は 日時だけです
はい
日時…… 問題は時間……
魅上が裁きをするのは 0時過ぎ おそらく朝には 裁く者の予告…… 動く時間を考えれば ……

三日後 28日 午後1時で どうでしょう
1時か… 思っていた通りの時間帯…
ニアは魅上の動きを ちゃんと計っている…
わかりました こちらは何時でも 構いません
では ………三日後 1時に
ピ
はい
ピ
ニア
夜神月
おまえの策は 読めている
必ず こっちが勝つ…

ニアが何を見せたいのかわからないけど楽しみっすねー
松田 おまえは楽天的過ぎだ
三日後…本当に全ての決着がつくのか？……
もし月くんがキラで月くんが勝ったらニアは殺され 我々も…
楽天的ってダメっすか？長所でしょ？
まあ松田の場合そうかもな…
じゃあ相沢さん そろそろホテルへ
えっ ああ
そうか 今日は高田アナと会う日だったか…
ニアと直接会う時が決まった上で月くんを高田に会わせるのは…
月くんがキラとして代わりの者に裁きをさせているなら高田から 場所や日時がその者に伝わるという事も……

いや ニアは「会うまでの三日間 Lが高田に会うのはなし」という条件は出せたはず それをしなかったのは ニアにとって これも想定内という事に…
行こう 月くん
はい いつも すみません
ニアの考えはわかりませんが やはり この三日間は何か落ち着きませんね
ん? ああ
……落ち着きはらっている様に見えるが… キラとしての余裕か?…… いや 私が落ち着いていないから 月くんが落ち着いて見えるんだ…
高田アナはこの三日間 大胆な発言はしない様に仕向けます ニアが何を見せてくるかで先が変わるかもしれませんから
……それが賢明かもしれないな

HOTEL
高田さん ごめん 今日は少し 忙しくて…
忙しい？ 朝まで居られないって 事？
ああ すまない 2・3日は警察の方で 手一杯なんだ
今日は キラのメッセージの プリントだけ もらって帰るよ
残念ね………
なんだ がっかり ………
松田 おまえな ——
あえて 多くは 語らずと いう ところか…
魅上にも高田にも もう指示はしてある… これがニアを殺す為の 最後の指示…
1月28日 午後1時
大黒埠頭
YB倉庫

1月26日朝
ギャアッ
!!

ジュッ
!!
反逆者だ!!
シュウウウ
高田様を
高田様大丈夫ですか
ええ
くっ 逃げるぞ 追え
ギャッ

高田様 早く NHNの中へ
駄目だ あんなのが いたんだ NHN周辺・中は危ない
とりあえず この場から離れた方がいい 高田様 乗ってください
早く
メロ…!
……
……
高田様 大丈夫です 早く乗って この場から
Aチーム Bチーム 高田様の周りを 車で追走
他のチームは さっきの車を 追ってください

ドォオオオ
よしっ
安全を確認
高田様を7号車に
ヴォン
キッ
!
な…
なんだ!?
あんな
狭い路地に
ドオオオオ

ま
まさか
高田様を
ドドゥ
馬鹿 止めろ
高田様に当たったらどうする
くそっ
く…
くそ…
あ…
あなたは？
……
ガチャ
11同心(完)

DEATH NOTE

How to use it

LXVI

◎ Some limited number of DEATH NOTEs have white or red front covers, but they would make no difference in their effects, as compared with the black cover DEATH NOTEs.

デスノートには白や赤の表紙の物も稀にあるが、
使い方や効力は黒表紙の物と一切変わらない。

GUARD DOGS

次巻(じかん)

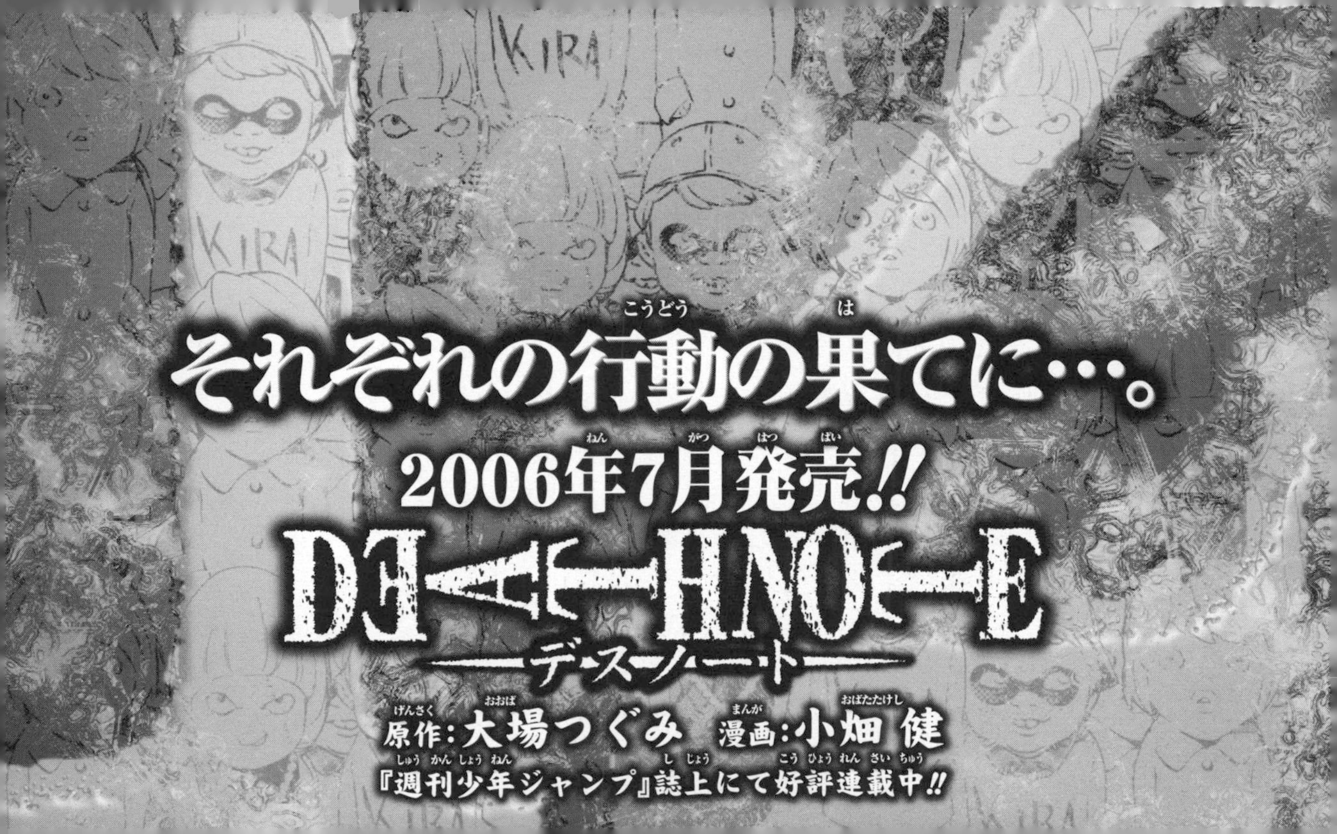

それぞれの行動の果てに…。
2006年7月発売!!
DEATH NOTE
デスノート
原作:大場つぐみ　漫画:小畑 健
『週刊少年ジャンプ』誌上にて好評連載中!!

■ジャンプ・コミックス

DEATH NOTE

11同心

2006年5月7日　第1刷発行

著　者　大場つぐみ
©Tsugumi Ohba　2006
小畑　健
©Takeshi Obata　2006

編　集　ホーム社
東京都千代田区一ツ橋2丁目5番10号
〒101-8050
電話　東京　03(5211)2651

発行人　鳥嶋和彦

発行所　株式会社　集英社
東京都千代田区一ツ橋2丁目5番10号
〒101-8050
03(3230)6233(編集部)
電話　東京　03(3230)6191(販売部)
03(3230)6076(読者係)
Printed in Japan

印刷所　図書印刷株式会社

ISBN4-08-874041-6 C9979

DEATH NOTE

★この作品はフィクションです。実在の人物・
団体・事件などには、いっさい関係ありません。